新潮文庫

沈黙

遠藤周作著

新潮社版

2774

W9-CIG-138

沈黙

沈　黙

ま　え　が　き

ローマ教会に一つの報告がもたらされた。ポルトガルのイエズス会が日本に派遣していたクリストヴァン・フェレイラ教父が長崎で「穴吊《あなづ》り」の拷問をうけ、棄教を誓ったというのである。この教父は日本にいること二十数年、地区長《スペリオ》という最高の重職にあり、司祭と信徒を統率してきた長老である。

稀《まれ》にみる神学的才能に恵まれ、迫害下にも上方《かみがた》地方に潜伏しながら宣教を続けてきた教父の手紙には、いつも不屈の信念が溢《あふ》れていた。その人がいかなる事情にせよ教会を裏切るなどとは信じられないことである。教会やイエズス会の中でも、この報告は異教徒のオランダ人や日本人の作ったものか、誤報であろうと考える者が多かった。

日本における布教が困難な状態にあることは宣教師たちの書簡でローマ教会にももちろんわかっていた。一五八七年以来、日本の太守、秀吉が従来の政策を変えて基督教《キリスト》を迫害しはじめると、まず長崎の西坂で二十六人の司祭と信徒たちが焚刑《ふんけい》に処せられ、各地であまたの切支丹が家を追われ、拷問を受け、虐殺されはじめた。徳川将軍もまたこの政策を踏襲して一六一四年、すべての基督教聖職者を海外に追放することにした。

宣教師たちの報告によると、この年の十月六日と七日の両日、日本人をふくむ七十数人の司祭たちは九州、木鉢《きばち》に集められ、澳門《マカオ》とマニラにむかう五隻のジャンクに押しこめられて追放の途につくことになった。それは雨の日で、海は灰色に荒れ、入江から岬《みさき》のむこうをぬれながら船は水平線に消えていったが、この厳重な追放令にかかわらず実は三十七名の司祭が、信徒を捨て去るに忍びずひそかに日本にかくれ残っていた。そしてフェレイラもこれら潜伏司祭の一人だったのである。彼は、次々と逮捕され処刑されていく司祭や信徒の模様を上司に書き送りつづけた。今日、一六三二年の三月二十二日に彼が巡察師アンドレ・パルメイロ神父にあてて長崎から発送した手紙が残っているが、それは当時の模様をあますことなく伝えている。

「前の手紙で私は貴師に当時の基督教界の状態をお知らせした。引きつづき、その後に起ったことをお伝えする。すべては新しい迫害、圧迫、辛苦に尽きるのである。一六二九年以来信仰のために捕えられている五人の修道者、すなわち、バルトロメ・グチエレス、フランシスコ・デ・ヘスス、ビセンテ・デ・サン・アントニヨの三人のアウグスチノ会士、われらの会の石田アントニヨ修道士、フランシスコ会のガブリエル・デ・サンタ・マダレナ神父の話から始めよう。長崎奉行の竹中釆女《うねめ》は彼らを棄教させ、もってわれらの聖なる教えとそのしもべを嘲笑《ちようしよう》し、信徒の勇気を挫《くじ》こうとした。だが釆女は、やがて言葉では神父たちの決心を変えさせることができないことを知った。そこで別の手段を用いる決心をしたのである。それは他でもなく、雲《うん》仙《ぜん》地獄の熱湯で彼等を拷問にかけることであった。

彼は、五人の司祭たちを雲仙に連れて行き、彼らが信仰を否定するまで熱湯で拷問すること、ただし決して殺さぬようにと命じた。この五人のほかに、アントニヨ・ダ・シルヴァの妻ベアトリチェ・ダ・コスタとその娘マリアも拷問にかけられることになったが、それはこの女たちが長い間棄教を迫られたにかかわらずそれに応じなかったためである。

十二月三日、全員は長崎をたち、雲仙に向った。二人の女性は輿《こし》に、五人の修道者は馬にのり、人々と別れを告げた。一レグワしか離れていない日見《ひみ》の港につくと、腕と手を縛られ、足枷《かせ》をはめられ、それから舟に乗せられた。一人一人、舟の舷側《げんそく》に固く縛りつけられたのである。

夕方、彼らは小浜《おばま》の港に着いたが、ここは雲仙の麓《ふもと》になる。翌日、山に登った。山では七人がそれぞれ一つの小屋に入れられた。昼も夜も彼らは足枷と手錠をかけられ、護衛に取りかこまれていた。釆女の配下の数は多かったが、代官も警吏を送って警戒は厳重である。山に通じる道は、すべて監視人が配置され、役人の許可証なしに人々の通行を許さなかった。

翌日、拷問は以下のようにして始まった。七人は一人ずつ、その場にいるすべての人から離れて、煮えかえる池の岸に連れていかれ、沸き立つ湯の高い飛沫《ひまつ》を見せられ、怖《おそ》ろしい苦痛を自分の体で味わう前にキリストの教えを棄てるように説き勧められた。寒さのため、池は怖ろしい勢いで沸き立ち、神の御助けがなければ、見ただけで気を失うほどのものであった。しかし全員、神の恵みに強められたため、大きな勇気を得て、自分たちを拷問にかけよ、自分たちは信奉する教えを絶対に捨てぬと答えた。役人たちはこの毅然《きぜん》たる答えを聞くと、囚人に服を脱がせ、両手と両足を縄でくくりつけ、半カナーラくらい入る柄杓《ひしゃく》で熱湯をすくい、各人の上にふりかけた。それも一気にするのでなく、柄杓の底にいくつか穴を開け、苦痛が長びくようにしておいたのである。

キリストの英雄たちは、身動き一つせずこの怖ろしい苦痛に耐えた。まだ年の若いマリアだけは、あまりの苦痛のため大地に仆《たお》れた。役人は、それを見て〝転んだ、転んだ〟と叫んだ。そして少女を小屋に運び、翌日長崎に帰した。マリアはそれを拒絶し、自分は転んだのではない、母やその他の人々と共に拷問してほしいと言い張ったが、聞きいれられなかった。

残りの六人は山に留まり、三十三日間過した。その間にアントニヨ、フランシスコの両神父とベアトリチェは、各々《おのおの》六回熱湯で拷問をうけた。ビセンテ神父は四回、バルトロメ神父、ガブリエル神父は二度であったが、その際、誰ひとり呻《うめ》き声もたてなかった。

他の人より長時間拷問にかけられたのは、アントニヨ神父とフランシスコとベアトリチェである。特にベアトリチェ・ダ・コスタの場合は、彼女は女性の身ながらあらゆる拷問においても、いろいろと勧告されても、男にもまさる勇気を示したため、熱湯の苦しみの他に別の拷問も行われたし、長時間小さな石の上に立たされ、罵《のの》りと辱《はずか》しめのことばを浴びせかけられもした。しかし役人が狂暴になればなるほど、彼女はひるまなかった。

他の人々は体が弱く、病気であったために、余りひどく苦しめられなかった。奉行はもともと殺すのではなく、棄教させることを望んでいたからである。またこの理由から、彼らの傷の手当てをするためにわざわざ一人の医師が山に来ていたのである。

遂に釆女はいかにしても自分が勝てないことを悟った。かえって部下から、神父たちの勇気と力を見れば、これを改心させるよりも雲仙のあらゆる泉と池はつきてしまうだろうという報告を受けとったので、神父たちを長崎に連れもどすことに決心した。一月五日、釆女はベアトリチェ・ダ・コスタを或るいかがわしい家に収容し、五人の司祭を町の牢屋《ろうや》に入れた。彼らは今もその牢にいる。これが、われわれの聖なる教えが大衆に鑽仰《さんぎよう》されるようになり、信徒が勇気づけられ、暴君がさきに計画し期待したことと反対に打ち負かされるに至った戦いの赫々《かつかく》たる結末である」

このような手紙をかいたフェレイラ教父が、たとえ、いかなる拷問をうけたにせよ神とその教会とを棄てて異教徒に屈服したとはローマ教会では思えなかったのである。

一六三五年に、ローマでルビノ神父を中心として四人の司祭たちが集まった。この人たちはフェレイラの棄教という教会の不名誉を雪辱するために、どんなことがあっても迫害下の日本にたどりつき、潜伏布教を行う計画をたてた司祭たちである。

この一見、無謀な企ては最初は教会当局の賛意を得なかった。彼等の熱意や布教精神はわかっても、これ以上、危険きわまる異教徒の国に司祭たちを送りこむことは上司としてただちに許すべきことではない。しかし聖フランシスコ・ザビエル以来、東洋でもっとも良き種のまかれた日本で、統率者を失い、次第に挫《くじ》けだしている信徒たちを見棄てることも一方ではできない。のみならず当時ヨーロッパ人の眼から見れば世界の果てともいうべき一小国でフェレイラが転宗させられたという事実は、たんなる一個人の挫折《ざせつ》ではなく、ヨーロッパ全体の信仰と思想の屈辱的な敗北のように彼等には思われた。こうした意見が勝ちをしめて、幾多の曲折を経たのちルビノ神父と四人の司祭の渡航は許可された。

このほかポルトガルでも、この一団とは別な理由から三人の若い司祭が同じような日本潜伏を企てていた。彼等はカムポリードの古い修道院で、かつて神学生の教育にあたったフェレイラ師の学生だった人たちである。フランシス・ガルペとホアンテ・サンタ・マルタそしてセバスチァン・ロドリゴの三人には、自分たちの恩師だったフェレイラが華々しい殉教をとげたのならば兎も角、異教徒の前に犬のように屈従したとはどうしても信じられなかった。そしてこの若い彼等の気持はとりもなおさずポルトガル聖職者の共通した感情でもあった。三人は日本に渡り、事の真相をこの眼でつきとめようと考えたのである。ここでも上司は伊太利《イタリア》における日本と同様、最初は首を縦にはふらなかったがやがてその熱情にまけ、遂に日本への危険な布教を認めることにした。これは一六三七年のことである。

さて、三人の若い司祭たちはただちに長途の旅行の準備にとりかかった。当時ポルトガル宣教師が東洋に行くためには、まずリスボンからインドにむかうインド艦隊に同乗するのが普通である。当時インド艦隊の出発はリスボンをにぎわせる最大の行事の一つだった。今までは文字通り地の果てと思われた東洋の、しかも最端にある日本《ヤポン》が、今、三人にはあざやかな形をおびて浮びあがった。地図をひもとく時、アフリカのむこうにポルトガル領の本インドがあり、その先々に数々の島とアジアの国々が散らばっている。そして日本はまるで幼虫のような形をして、その東端に小さく描かれている。そこまでたどりつくには、まずインドのゴアにたどりつき、その後更に長期の歳月にわたり多くの海をわたっていかねばならぬのである。なぜなら聖フランシスコ・ザビエル以来、ゴアは、東洋布教の足がかりとも言うべき町だったからである。二つの聖ポウロ神学院は東洋の各地から留学してきた神学生と共に、布教を志すヨーロッパ司祭が各国の事情を知り、それぞれの国に向う便船を半年も一年も待つ場所でもあった。

三人はまた手をつくして彼等が知りえる限りの日本の状況について調べた。幸いこの点についてはルイス・フロイス以来、数多くのポルトガル宣教師たちが日本から情報を送ってきていた。それによると新しい将軍イエミツは、彼の祖父や父以上に苛酷な弾圧政策を布《し》いていると いうことだった。特に長崎では一六二九年以来、タケナカ・ウネメとよぶ奉行が暴虐非道、人間にあるまじき拷問を信徒たちに加え、熱湯のたぎる温泉に囚人たちを漬けて、棄教と転宗を迫り、その犠牲者の数は日に六、七十人をくだらぬ時もあるという話だった。この報告はフェレイラ師自身も本国にもたらしているから確実に違いない。いずれにしろ、自分たちが長い辛苦の旅をつづけた後にたどりつく運命は旅以上に苛酷なものであることを彼等は始めから覚悟しなければならなかった。

セバスチァン・ロドリゴは鉱山で有名なタスコ町で生れ、十七歳で修道院に入った。ホアンテ・サンタ・マルタとフランシス・ガルペとはリスボン生れで、ロドリゴとカムポリードの修道院で教育を受けた仲間である。小神学校から日常生活はもちろん毎日机をならべた彼等は、自分たちに神学を教えていたフェレイラ教父のことをありありと憶《おぼ》えている。

日本のどこかに今、あのフェレイラ師が生きている。碧《あお》い澄んだ眼とやわらかな光をたたえたフェレイラ師の顔が日本人たちの拷問でどう変ったかとロドリゴたちは考えた。しかし屈辱に歪《ゆが》んだ表情をその顔の上に重ねることは、彼にはどうしてもできない。フェレイラ師が神を棄て、あの優しさを棄てたとは信じられない。ロドリゴとその仲間とは、日本にどうしてもたどりつきその存在と運命とを確かめたかった。

一六三八年三月二十五日、三人を乗せたインド艦隊は、ベレム要塞《ようさい》の祝砲をうけながらタヨ河口から出発した。彼等は、ジョアン・ダセコ司教の祝福を受けた後、司令官の乗る「サンタ・イサベル号」に乗船した。黄色い河口がおわり艦船《ナホ》が青い真昼の海に出た時、彼等は甲板に靠《もた》れて金色に光る岬や山をいつまでも眺めた。農家の赤い壁や教会。その教会の塔からは艦隊を送る鐘が風に送られてこの甲板にまで聞えてくるのである。

当時、東インドにむかうためにはアフリカの南を大きく迂回《うかい》せねばならない。だが、この艦船は出発三日目にしてアフリカ西岸で大きな嵐にぶつかった。

四月二日、ポルト・サント島に、それから間もなくマディラに、六日にはカナリヤ諸島に到着した後は、たえ間ない雨と無風状態に襲われた。それから潮流のため、北緯三度の線から五度まで押しもどされてギネア海岸に突きあたった。

無風の時、暑さは耐えられるものではなかった。その上、各船には多くの病気が生じ、「サンタ・イサベル号」の乗組員でも、甲板や床で呻く病人の数が百人をこえはじめた。ロドリゴたちは、船員と共に病人の看護に走りまわり、彼等の瀉血《しゃけつ》を手伝った。

七月二十五日、聖ヤコボの祝いにやっと船は喜望峰《きぼうほう》を廻った。喜望峰をまわった日に、再度の烈しい嵐が襲ってきた。船の主帆がくだかれて烈しい音をたてて甲板にぶつかった。同じ危険にさらされた前部の帆を、病人たちもロドリゴたちもかりだされて、漸《ようや》くにして救った時、船は暗礁に乗りあげたのである。もし、他の艦がただちに救いにこなければ、「サンタ・イサベル号」はそのまま沈んだかもしれない。

嵐のあとはふたたび風が凪《な》いだ。マストの帆は力なく垂れ、ただ真黒な影だけが甲板に死んだように倒れている病人たちの顔や体の上に落ちている。海面は暑くるしく光るだけで波のうねりさえない毎日である。航海が長びくにつれ食糧と水も不足になってきた。こうしてようやく目的のゴアに着いたのは十月九日のことだった。

このゴアで彼等は本国にいるよりもっと詳しく日本の情勢を聞くことができた。それによると、三人の出発した前の年の十月から、日本では三万五千人の切支丹たちが一揆《いっき》を起し、島原を中心にして幕府軍と悪戦苦闘した結果、老若男女、一人残らず虐殺されたとのことである。そしてこの戦争の結果、この地方はほとんど人影をみぬほど荒廃した上、残存の基督教徒が虱《しらみ》つぶしに追及されているそうである。のみならずロドリゴ神父たちに最も打撃を与えたニュースは、この戦争の結果、日本は彼等の国であるポルトガルと全く通商、交易を断絶し、すべてのポルトガル船の渡航を禁止したとのことであった。

日本にむかう母国の便船が全くないことを知った三人の司祭は、絶望的な気持で澳門までたどりついた。この町は、極東におけるポルトガルの突端の根拠地であると同時に、支那と日本との貿易基地であった。万一の僥倖《ぎょうこう》を待ちのぞみながら、ここまで来た彼等は、到着早々、ここでも巡察師ヴァリニャーノ神父からきびしい注意をうけねばならなかった。日本における布教はもはや絶望的であり、これ以上、危険な方法で宣教師を送ることを澳門の布教会では考えていないと神父は言うのである。

この神父は、もう十年前から日本及び支那に向う宣教師を養成するために布教学院を澳門に建設していた。のみならず日本における基督教迫害以来、日本イエズス会管区の管理はすべて彼によってなされていた。

ヴァリニャーノ師は三人が日本上陸後探そうとしているフェレイラについても次のように説明した。一六三三年来、潜伏宣教師たちからの通信も全く途絶えてしまった。フェレイラが捕えられたということ、長崎で穴吊りの拷問を受けたことは長崎から澳門に戻ったオランダ船員から聞いてはいるが、その後の消息は不明であり、それを調査することもできぬ、なぜなら問題のオランダ船はフェレイラが穴吊りに会ったその日に出帆したからである。当地でわかっているのは新しく宗門奉行に任命された井上筑後守《ちくごのかみ》がフェレイラを訊問《じんもん》したということだけである。いずれにしろ、こうした状況にある日本に渡ることは、澳門の布教会としては、とても賛成できぬ。これがヴァリニャーノ師の率直な意見であった。

今日、我々はポルトガルの「海外領土史研究所」に所蔵された文書の中にこのセバスチァン・ロドリゴの書簡を幾つか、読むことができるが、その最初のものは以上書いたように、彼と二人の同僚がヴァリニャーノ師から日本の情勢を聞いたところから始まっている。

I

セバスチァン・ロドリゴの書簡

主の平安。基督《キリスト》の栄光。

私たちが昨年十月九日、ゴアに着き、五月一日、ゴアから澳門《マカオ》に到着したことは既に書いた通りですが、苦渋な旅に同僚のホアンテ・サンタ・マルタは甚《はなは》だしく体力を消耗し、マラリヤの発熱に屢々《しばしば》、苦しみ、私とフランシス・ガルペだけは、ここの布教学院で心からの歓待を受け気力は充実しています。

ただこの学院の院長であり十年前からここに滞在しているヴァリニャーノ師は最初は我々の日本渡航に真向から反対されました。我々は港を一望できる師の居室で、この点について次のように言われたものです。

「日本にはもはや宣教師を送ることは断念せねばならない。ポルトガル商船にとって海上は甚だ危険であるし、日本に到着する前に幾つかの妨害に遭遇するだろう」

このように師の反対されたのも尤《もっと》もで、一六三七年以来、日本政府は、島原の内乱にポルトガル人の関係あるを疑い、通商を全く断っただけではなく、澳門より日本近海に至る海上では、新教徒の英蘭軍艦が出没して、我が商船に砲撃を加えているのです。

「しかし、我々の密航が、神の援助によって成功しないとは限りません」とホアンテ・サンタ・マルタは熱のある眼をしばたたきながら言いました。

「彼の地では信徒たちは今や司祭を喪《うしな》って、一群の仔羊《こひつじ》のように孤立しています。彼等を勇気づけ、その信仰の火種をたやさぬためにも、どうしても誰かが行くべきです」

ヴァリニャーノ師はこの時、顔を歪《ゆが》めて黙っていられました。彼は上司としての義務と、日本における憐《あわ》れな信徒の追いつめられた運命について、今日までふかく懊悩《おうのう》されてきたにちがいない。何故《なぜ》なら、老司祭は机の上に肘《ひじ》をついたまま、掌で額を支えてしばらく黙っていられたからです。

部屋からは澳門の港が遠くみえますが、海は夕暮の陽を受け赤く、ジャンクが黒い染みのように点々と浮んでいました。

「もう一つ、私たちには義務があります。それは私たち三人の師であったフェレイラ神父の安否をたずねることです」

「フェレイラ師については、その後、いかなる知らせも手に入れてない。彼に関する情報は悉《ことごと》く曖昧《あいまい》である。しかし、我々にはその真偽を確かめる手筈さえ、今はないのだ」

「というと、彼は生存しているのでしょうか」

「それさえわからぬ」吐息とも溜息《ためいき》ともつかぬ息を洩らされ、ヴァリニャーノ師は顔をあげられました。

「彼から定期的に私に送ってきた通信が一六三三年以来、全く途絶えている。不幸にも病死したのか、異教徒たちの牢獄《ろうごく》につながれたのか、君たちの想像するように栄光ある殉教を遂げたのか、また生き残って通信を送りたくともその方法を見つけられぬのか、今は何も言うことはできぬ」

ヴァリニャーノ師はこの時、あの噂《うわさ》通り、フェレイラ神父が異教徒の拷問に屈服したとは一度も口に出されませんでした。この人も、私たちと同様、そのような想像を昔の同僚の上に覆いかぶせたくはなかったのでしょう。

「のみならず……」彼は自分に言いきかせるように、「日本には今、基督教徒にとって困った人物が出現している。彼の名はイノウエと言う」

イノウエという名を、我々が耳にしたのはこの時が始めてです。ヴァリニャーノ師はこのイノウエにくらべれば、さきに長崎奉行として多くの切支丹を虐殺したタケナカなどはたんに凶暴で無智な人間にすぎないと言われました。

やがて日本に上陸した後、おそらく出会うかもしれぬこの日本人の名を記憶にとどめるため、馴れぬ発音を私たちは口のなかで繰りかえしました。

九州の日本人信徒が最後に送ってきた通信から、ヴァリニャーノ師はこの奉行について多少の知識を持っていました。それによるとイノウエは島原の内乱以後、基督教弾圧の事実上の指導者となったのですが、前任者タケナカとは全く違った蛇のような狡猾《こうかつ》さで、巧みな方法を駆使し、それまでは拷問や脅しにもひるまなかった信徒たちを、次々と棄教させているのだそうです。

「悲しむべきことに」とヴァリニャーノ師は言われました。「彼は、かつて我々と同じ宗教に帰《き》依《え》し、洗礼まで受けた男なのだ」

この迫害者については、後日、またお知らせすることができるでしょう……。しかし結局、上司として慎重な師も、我々の（特に同僚、ガルペの）熱意にまけて日本への密航を遂に許して下さいました。とうとう骰子《さい》は投げられたのです。日本人の教化と主の栄えの為《ため》に私たちは、今日までどうにか、この東洋までたどりつきました。今後の行先にはおそらく、あのアフリカからインド洋で味わった船旅など比べものにもならぬ困難や危険が待ちうけていることでしょう。しかし「この街にて迫害せられなば、なお、他の街に行くべし」（マテオ聖福音書）そして私の心には、たえず黙示録の「主にてまします神よ。主こそ光栄と尊崇と能力とを受け給うべけれ」という言葉が浮びます。この言葉を前にする時、他の事はすべて取るに足りぬことです。

澳門は、ペイコオとよぶ大河の出口にあります。湾の入口に散在する島に建てられた町ですが、すべての東洋の町と同じように、ここには町をとりまく城壁はありません。したがってどこまでが町の境界なのかはわからず、灰褐色の塵芥《じんかい》のような支那人たちの家が拡がっています。とにかく、我々の国のいかなる都市や町の姿をここに想像したとしてもあなたは間違うでしょう。人口は二万人ほどだと言われていますが、それは当てにはなりません。ただ、我々に故郷を偲《しの》ばすのは、町の中心に作られた総督の官邸やポルトガル風の商館と石畳の路《みち》です。砲台は湾の方に砲をむけていますが幸いなことには、今日まで一度も使われたことがないのです。

支那人たちの大半は、我々の教えにも耳を貸さぬとのことです。その点、日本はまさしく、聖フランシスコ・ザビエルが言われたように「東洋のうちで最も基督教に適した国」の筈でした。

ところが、皮肉なことには日本政府が自国の船の異国渡航を禁止した結果、極東における生糸貿易はすべて澳門のポルトガル商人が独占するようになったため、この港の今年の輸出総額は四十万セラフィンで、一昨年や昨年を十万セラフィン上まわるのだそうです。

私は今日この手紙で素晴らしい報告をせねばなりますまい。私たちは昨日、遂に一人の日本人に会うことができたのです。かつて澳門にはかなりの日本人修道士や商人が渡来していたのだそうですが、例の鎖国以来、彼等の訪れは絶え、僅かに残存していた者も帰国しました。ヴァリニャーノ師にたずねても、この町に日本人はいないという話でしたが偶然の機会から、我々は一人の日本人が支那人たちに交って生きていることを知ったのです。

昨日は雨で、私たちは日本に行く密航船を探すために支那人町を訪れました。とにかく一隻の船を求め、船長や水夫を雇い入れねばなりません。雨の澳門、それはこの憐れな町を更にみじめにするだけです。海も町もすべて灰色に濡れ、支那人たちは家畜小屋のような家にとじこもり、泥だらけの道には人影もありません。こんな道を見ていますと私はなぜか、人生を思い、悲しくなります。

紹介された支那人をたずねて用件を話しだしますと、彼は即座に、一人の日本人がこの澳門から帰国したがっているのだと言いました。早速、求めに応じて彼の子供が日本人を呼びに行ったわけです。

生れて始めて会った日本人についてどうお話したらいいでしょう。よろめくようにして一人の酔っぱらいが部屋に入ってきました。襤褸《ぼろ》をまとったこの男の名はキチジローと言い年齢は二十八か九歳ぐらいでした。我々の問いに漸《ようや》く答えたところによりますと、長崎にちかいヒゼン地方の漁夫だそうで、あの島原の内乱の前に海を漂流していた時、ポルトガル船に助けてもらったのだそうです。酔っているくせに狡《ずる》そうな眼をした男でした。私たちの会話中、時々、眼をそらしてしまうのです。

「あなたは信徒ですか」

同僚のガルペがそう訊《たず》ねると、この男は急に黙りこみました。ガルペの質問がなぜ彼を不快にさせたのか、我々にはよくわかりません。始めはあまり話したがりませんでしたが、やがて我々の懇願を入れて、九州における基督教迫害の模様をぼつぼつ、しゃべりだしました。なんと、この男はヒゼンのクラサキ村で二十四人の信徒たちが藩主から水礫《すいたく》に処せられた光景を見たのだそうです。水礫というのは、海中に木柱を立てて基督信者たちを縛りつけておくことです。やがて満潮がくる。海水がその股《また》の処《ところ》まで達する。囚人は漸次に疲憊《ひはい》し、約一週間ほどすると悉く悶死《もんし》してしまいます。このような残忍な方法をローマ時代のネロさえ考えついたでしょうか。

話をしている間、私たちは妙なことに気がつきました。この身震いのするような光景を我々に呟《つぶや》きながら、キチジローは顔を歪めると、突然、口を噤《つぐ》んでしまったのです。そしてまるで記憶の中からあの怖《おそ》ろしい思い出を追い払うように手をふりました。おそらくこの水礫に処せられた二十数人の信徒のなかに彼の友人や知人がいたのかもしれない。我々は、触れてはならぬ彼の傷口に指を入れたのかもしれません。

「やはり信者だね、あなたは」ガルペはたたみ込むように訊ねました。「そうでしょう」

「そうじゃない」キチジローは首をふって、「そうじゃない」

「しかし、あなたは日本に帰りたがっている。我々のほうは幸い船を買い水夫を集める金をもっている。だから、我々と同じように日本に行くつもりならば……」

この言葉に酒に酔って黄色く濁った日本人の眼が狡そうに光り、部屋の隅で膝《ひざ》をかかえたまま、ただ、故郷に残した親兄弟に会いたいから帰国を願っているのだと、まるで弁解でもするように呟きました。

こちらはこちらで、ただちにこのおどおどした男と取引を始めました。うすぎたない部屋の中に一匹の蠅《はえ》が音をたてて同じ所を廻っていました。床には彼の飲んだ酒瓶《さかびん》が転がっていました。とにかく、私たちは日本に上陸したあと右も左も識別できないのです。我々をかくまい、様々の便宜を計ってくれる信徒たちに連絡をつけねばなりません。その最初の手引きをしてくれるよう、この男を利用することが必要でした。

キチジローは、交換条件に長い間、膝小僧をだいたまま壁にむかって考えこんでいましたが漸く承知をしました。彼にとっては相当、危険なのでしょうが、この機会を逃しては、永久に日本に戻れそうもないと諦《あきら》めたのでありましょう。

ヴァリニャーノ神父のおかげで我々はともかく、大きな一隻のジャンクは手に入れられそうです。ところが人間の計画はいかに、もろく、はかないことでしょう。船は白蟻《しろあり》によって食いつくされているという報告を今日、受けました。ここでは鉄や瀝青《れきせい》などがほとんど手に入れがたいので……。

毎日、少しずつこの便りを書いているので日附のない日記のようになりました。我慢して読んで下さい。一週間前、私は、我々が手に入れたジャンクが相当、白蟻によって食いつくされていることをのべましたが、幸い神のお陰で、この困難を克服する方法が見つかったようです。とりあえず内側から板で目張りをして、台湾まで航行するつもりです。そしてもし、この応急の措置がそれ以上もつなら日本まで直接、行こうと思います。ただこの上は、東支那海で、できる限り大きな嵐に出会わないよう、主のお加護を願うつもりです。

今度は、悲しい知らせを書かねばなりません。サンタ・マルタが長く辛かったあの船旅で体力をすっかり消耗し、マラリヤにかかったことは御存知の通りですが、このところ、彼はふたたび烈しい熱と悪寒《おかん》とに襲われ、布教学院の一室で寝ています。あなたは、かつての逞《たくま》しかった彼が今、どのようにみじめに痩《や》せ衰えているか、想像できないと思います。眼は赤くうるみ、その額にのせた濡布も、瞬時にして、湯に入れたようにあつくなってしまうので、そんな彼をつれて日本に行けるとは到底、思えません。ヴァリニャーノ神父も、もし彼をここで療養のために残さないならば、他の二人の渡航も許可することはできないと言われました。

「我々は先に向うに行き」そのマルタをガルペは慰めました。「君が元気になってくるための準備をしておくのだ」

その時まで、果して無事に彼が生き続けていられるのか、そして我々が他の多くの信徒たちのように、異教徒たちの捕われの身となっているのか、誰が予言することができましょうか。

頬から顎《あご》にかけてすっかり髭《ひげ》が伸びきって頬の肉も落ちたマルタは黙ったまま、窓を見つめていました。ここでは夕陽はまるでうるんだ赤い硝子玉《ガラスだま》のように港と海とに沈んでいくのが、窓から見えます。この時、私たちの同僚が何を思ったのか、長い間、彼を御存知だった貴方《あなた》ならきっとわかって頂けると思います。タヨ河口からダセコ司教様や貴方たちに祝福されながら乗船した日。長い苦渋な旅。渇きや病気に次々とみまわれた船。それらを我々は何のために忍んだのか。この東洋の押しつぶされたような町までどうしてたどりついたのか。我々、司祭は、ただ人間のために奉仕するだけのためにこの世に生れてきたあわれな種族ですが、その奉仕が適《かな》えられぬ司祭ほど孤独でみじめなものはありますまい。特にマルタの場合は、ゴアに到着して以来、聖フランシスコ・ザビエルへの尊敬をひとしお深く持っていたのです。彼は、日本にどうしても到着するよう、あのインドで死んだ聖人の墓に毎日、詣《もう》でていました。

我々は毎日、彼の病気が一日も早く恢復《かいふく》するよう祈っていますが、しかし病態は、はかばかしくはありません。けれども神は、我々の智慧《ちえ》では洞察することのできぬもっとも善き運命を人間たちにお与えになる筈です。出発はあと二週間後に迫っていますが、おそらく主はその全能の奇《き》蹟《せき》によって、すべてを調和させて下さるでしょう。

購入した船の修理は、相当にはかどっています。白蟻の食いあとは、新しく手に入れた板によってすっかり見ちがえるようになりました。ヴァリニャーノ神父の力で見つかった二十五人の支那人水夫が、ともかくも我々を日本の近海まで運んでくれるでしょう。これらの支那人水夫たちは、まるで幾月も食事をとらなかった病人のように痩せ細っているのですが、その針金のような手の力は驚くべきものがあります。彼等はこの細い腕を使って、どんな重い食糧箱でも平気で運びます。それはまるで、鉄で作った火《ひ》掻棒《かきぼう》を連想させます。あとは航海に必要な風を待つだけです。

例の日本人キチジローも支那人の水夫にまじって船荷を運んだり、帆のつくろいを手伝っていますが、私たちは、あるいは我々の今後の運命を左右するかもしれぬこの日本人の性格をじっと観察することだけは怠っていません。今のところ、我々にわかるのは、彼にはかなり狡い性格があり、その狡さもこの男の弱さから生れているということです。

過日、私たちはこういう光景を偶然みてしまいました。支那人の監督の眼が届く時はいかにも懸命に働いているように見せかけていたキチジローは、監督が現場から離れるとすぐ怠けはじめ、始めは黙っていた水夫たちも、たまりかねたのかキチジローを難詰しだしました。それだけなら何でもないのですが、驚いたことには三人の水夫たちに突き飛ばされたり、腰を蹴《け》られたりしただけでもう真蒼《まつさお》になり砂浜に膝をついたまま、みにくく許しを乞うているのです。その態度は基督教的な忍耐の徳などとはほど遠い、あの弱虫の卑怯《ひきよう》さというやつでした。浜にうずめた顔をあげ、なにか日本語で叫んでいましたが、その鼻も頬も砂だらけで、口からきたない唾が流れだしている始末でした。始めて会った時、日本の信徒たちの話をしながら急に彼が口を噤んだ理由も

らう賃金のすべてを酒に使っているようです。その酔い方も話にならぬもので、まるでこの男は
ただ一つ、困ったことは、彼がひどく酒のみなことなのです。一日の仕事のあと、監督からもいなら、信ずることにしましょう。
笑《か》しくなってしまうのです。思えば、我々の主、基督でさえも自分の運命を信じられぬ者たちにお委せになったわけです。とにかくキチジローをこの際、信ずる以外には他のいかなる方法もな
で下さい。むしろ、私はキチジローのような男に自分の今後を委託したことを考えるとなぜか可《お》
しかし、こう書いたからといって、私たちの気力が沮喪《そそう》したなどとは決してお思いにならない
はしましたが、今となってはこの約束もどれだけ信じていいのかわかりませぬ。
到着後の運命を委《まか》せねばならない。彼は、我々をかくまってくれる信徒たちと連絡をとると約束
った日本人がいます。しかし、キチジローのような弱虫もいるのです。そんな男に、我々は日本
のです。一方では海水が踝《くるぶし》をひたし、五日間にわたってこの拷問を加えられても節操を歪めなか
ガルペはあの多くの宣教師たちが「死さえ怖れない民」といった日本人の姿を余りに信じていた
さすがにガルペが苦々しくたずねますと、キチジローは驚いたようにそうだと言い張りました。
「本当に日本人ですか、あなたは」
うになりました。
ちによってやっと、とり鎮めましたが、キチジローはそれ以後、我々に卑屈な笑いをうかべるよ
かり怯《おび》えてしまったのかもしれません。とにかく、この一方的な喧嘩《けんか》はあわてて中に入った私た
この時、私にはなぜかわかるような気がしました。彼は自分で話をしながら、その話自体にすっ

ある決定的な思い出が心の奥にあって、それを忘れるために酒を飲んでいるとしか思われません。

澳門の夜は砲台を守る兵士たちの長い物哀《ものがな》しい喇叭《らっぱ》の音でやってきます。我々の国と同じようにここの修道院でも夕食がすみ、ベネディクシオンが聖堂で行われたあと、司祭も修道士も、蠟《ろう》燭《そく》を手に手にとって、各自の部屋に閉じこもるのが規則です。今、中庭の石畳を三十人の下男が歩いてきました。ガルペやサンタ・マルタの部屋も灯が消えました。ここは真実、地の果てです。

蠟燭の灯の下、私は膝に手をおろし、じっとしています。じっとして自分が今、あなたたちの知らぬ、あなたたちの一生涯、訪れもしないこの極地に来ているのだという感覚をじっと味わっているのです。それは、あなたにとても説明できぬ疼《うず》くような感覚――まぶたの裏にあの長いあまりに怖ろしかった海や、訪れた港が一時に浮びあがり、胸は苦しいほど締めつけられます。たしかにこの誰も知らぬ東洋の町に今、いるということが、夢のようでもあり、いや夢でないのだと思うと、それは奇蹟だと大声をあげて叫びたくなります。本当に私は澳門にいるのか。自分は夢をみているのではないかと、まだ信じられないくらいです。

壁に大きな油虫が這《は》っています。乾いたその音が、この夜の静寂を破ります。

「汝等《なんじら》、全世界に往きて、凡《すべ》ての被造物に福音を宣《の》べよ。信じ、洗せらるる人々は救われ、信ぜざる人は罪に定められん」使徒たちが会食している場所に復活の姿を現わしてこう宣べられた基督。私は今、その言葉に従いその顔を思い浮べます。あの方がどのような顔を持っていられたのか、聖書の何処《どこ》にも書いてありませぬ。あなたも御存知のように初期の基督教徒たちは、一人の羊飼の姿の中に基督を思い浮べました。短いマント、小さな衣をつけ、片手で肩に担った羊の足をつかみ他の手で杖《つえ》をもったその姿は、私たちの国でいつも見かけることのできる若者たちの恰好です。あれが初期の教徒の抱いていたささやかな基督の顔でした。それから東方の文化が、長い鼻、縮れた髪、黒い髭をもった幾分、東洋的な基督の顔をつくりあげ、更に王者たる威厳にみちた顔が多くの中世の画家たちによって描かれました。だが今夜の私にとっては、その顔はポルゴ・サンセポルクロに蔵されている彼の顔なのです。神学生の頃見たあの絵はまだ、なまなましく記憶に残っています。基督はその墓に片足をかけ、右手に十字架を持って、真正面からこちらを向き、その表情は、チベリアデの湖辺《うみべ》で使徒たちにむかい「我が羔《こひつじ》を牧せよ。我が羔《こひつじ》を牧せよ。我が羔《こひつじ》を牧せよ」と三度、命ぜられた時の励ますような雄々しい力強い顔でした。私はその顔に愛を感じます。男がその恋人の顔に引きつけられるように、私は基督の顔にいつも引きつけられるのです。

出発はいよいよ五日に迫ってきました。我々としては、自分の心以外に全く日本に持っていく荷物はありませんから、心の整理だけに没頭しております。サンタ・マルタのことはもう書きたくはない。可哀想な我が同僚のために神は遂に、病気の恢復という悦びをお与えになりませんでした。しかし神のなし給うことはすべて善きこと。彼にはやがてなさねばならぬ使命をひそかに主は準備されているのでしょう。

Ⅱ

セバスチァン・ロドリゴの書簡

主の平安。基督《キリスト》の栄光。

限られた紙のなかでこの二カ月の間、出会った数々の出来事をどのように話してよいのでしょう。その上、この手紙が貴方の手もとに届くのか、それさえわからない現在です。しかし私はやはり書かずにはいられない気持ですし、書き残しておく義務を認めるから書いておくのです。

澳門《マカオ》を出発した我々の船は八日まではふしぎなくらい良好な天候に恵まれました。空は青く晴れ、帆は満足そうに膨れ、飛魚の群れが銀色に光りながら波間をはねるのがいつも見えました。私もガルペも毎朝、船中でのミサで航海の安全を主に感謝しつづけました。間もなく最初の嵐が襲ってきました。五月六日の夜のことです。強風がまず東南から吹きつけてきました。熟練した二十五人の水夫たちも帆桁《ほげた》をおろし前檣《ぜんしょう》に小帆を揚げましたが、夜半には風波に船を委せるだけで、そのうち船の前方に裂け目が入り、浸水がはじまりました。ほとんど一晩の間、我々はこの裂け目に布をつめ、水を外にくみ出す作業を続けねばなりませんでした。

夜が白み始めた頃、嵐はやっとやみました。水夫たちも私やガルペも、精根尽き果て、ただ船荷と船荷との間に体を横たえ、雨を含んだ真黒な雲が東に流れていくのをじっと見上げていました。その時、今から九十年も前に私たちよりももっと大きな困難を経ながら、この日本にたどりつこうとされた聖フランシスコ・ザビエル師のことが心に甦《よみがえ》ってきたのです。あの方もまたこのような嵐の終った黎明《れいめい》、乳色の空を見られたにちがいない。それから何十年もの間、何十人の宣教師や神学生たちがアフリカをまわり、インドを経てこの海を越えて日本に布教しようとしたことでしょう。デ・セルイケラ司教、バリニヤ師、オルガンチノ師、ゴメス師、ポメリオ師、ローペス師、グレゴリオ師、数えれば際限がありません。彼等の中にはジル・デ・ラ・マッタ師のように日本を目前に見ながら、難破した船と運命を共にされた方たちも多くいられます。何が彼等をこの大きな苦しみに耐えさせ大きな情熱に駆りたてたか、それは今、私にはわかるのです。それらの人々もすべて、この乳色の雲と東に流れていく黒雲とを凝視されたのです。彼等がその時、何を考えたか、それも私にはわかるのです。

船荷の横でキチジローの苦しそうな声をききました。この弱虫は嵐の間、ほとんど水夫たちを手伝うことさえせず、荷と荷との間に真蒼になって震えていました。まわりには白い吐瀉物《としゃぶつ》があたりかまわず散らばり、日本語でなにかをしきりに呟いているのです。

はじめ水夫たちと同様に私たちも、そんな彼を軽蔑《けいべつ》して眺めておりました。彼の呟く日本語も、疲れた耳にほとんど関心がなかったのです。しかし、ふと、私は彼のその言葉の中に「ガラサ」（聖寵《せいちょう》）とかいう言葉と「サンタ・マリア」（聖母）という発音を聞きました。まるで豚のように自分の吐いた汚物の中に顔を埋めて、この男は「サンタ・マリア」という言葉をたしかに続けて二度申しました。

ガルペと私とは顔を見合わせました。この船旅の間、皆にとってほとんど役に立つどころか迷惑な存在だった彼が我々と同じ立場の人間だということがありうるでしょうか。いや、そんなことはありえない。信仰は決して一人の人間をこのような弱虫で卑怯な者にする筈はない。

「あなたは信徒ですか」ガルペがたずねました。

吐瀉物ですっかりよごれた顔をあげ、キチジローはくるしそうにこちらを見あげ、それから狡猾にも彼は今の質問が聞えなかったようなふりをすると、卑屈なうす笑いを頬にうかべました。いかにも誰かに阿《おもね》るような笑い方はこの男の癖です。私はともかく、ガルペはこの笑い方にいつも気を悪くしていました。あの剛毅《ごうき》なサンタ・マルタなら本当に腹をたてたにちがいありません。

「私は聞いているのだ」ガルペは声をあげました。「はっきり、言いなさい。信徒なのか。信徒でないのか」

キチジローは強く首をふりました。支那人の水夫たちはそれぞれ船荷の間から好奇心と軽蔑との入りまじった眼でこちらを見つめていました。もしキチジローが信徒ならば、司祭である私たちにまでそれをかくしているのがわかりません。おそらく私の想像では、この臆病者は日本に戻った時、我々の口から彼が基督教徒であることを役人たちに洩らされるのを怖れているのではないかと思います。だがもし彼が本当に信徒でないならば「ガラサ」とか「サンタ・マリア」という言葉をなぜ、恐怖のあまり口に出したのでしょう。いずれにしろこの男は私の興味をひきますし、やがて彼の秘密も少しずつわかってくるだろうと思いました。

その日まで陸地も島影も全くみえません。空は灰色に拡がり、時々まぶたに重いくらいの薄陽が船にさします。我々は悲しみに打ちのめされて、白い牙《きば》のような波の歯をむきだしている冷たい海にただ眼をやるだけでした。だが神は我々を見棄てられなかったのです。

艫《とも》に死者のごとく倒れていた水夫の一人が突然、叫びました。その指さす水平線から一羽の小鳥が飛んできました。そして海を横切りこの小鳥は、昨夜の嵐で布の裂けた帆桁に黒点のように羽をおろしました。既に、海に無数の木片《セバ》が流れていました。これは、陸地が我々を既に待っていることを予想させるものでした。しかし、悦びはたちまち不安に変りました。もしこの陸地が日本であるなら私たちはどんな小さな小舟にも発見されてはならないからです。小舟の漁夫たちは、ただちに役人に異国人を乗せたジャンクが漂流していることを大急ぎで告げに走るでしょう。

闇がくるまでガルペと私とは二匹の犬のように船荷の間に体をすりよせてかくれました。水夫たちは、前檣の小さな帆だけを揚げてできるだけ陸地らしい地点を遠く迂回《うかい》するようにしてくれました。

真夜中、船はふたたびできるだけ静かに動きだしました。が幸い月がないために空は真暗で誰にも発見されません。半レグワほどの高さの陸地が少しずつ迫ってきます。両側が急な山の迫っている入江にはいりこんだことに気がつきました。浜のむこうに押しつぶされたような家々の塊が見えたのもこの時です。

まずキチジローが浅瀬におり、続いて私が、最後にガルペがまだ冷たい海水に体を入れました。

ここが日本なのか、それとも別の国の島なのか、正直な話、三人には見当もつきませんでした。

砂浜の窪《くぼ》みにキチジローが事情を探るまで、じっとかくれていました。砂をふむ音が、その窪みのそばに近づいてきました。濡れた着物を握りしめて息をこらしていた私たちの前を布を頭にかぶり、籠をかついだ老婆が一人、我々に気がつかずにそばを通りすぎていきました。彼女の跫《あし》音《おと》が遠くに消え去ったあと、ふたたび沈黙がおそってきました。

「戻ってこない。戻ってこない」ガルペは泣きそうに申しました。「あの臆病者はどこかに行ってしまったのだ」

しかし、私はもっと悪い運命を考えていました。彼は逃げたのではない。ユダのように訴えにいったのだ。そして役人たちがやがて彼に伴われて間もなく姿を現わすだろう。

「されば一隊の兵卒は炬火《たいまつ》と武器とを持ちて此処《ここ》に来《きた》れり」ガルペはあの聖書の言葉を呟きました。

「かくて基督、我が身に来るべきことを悉《ことごと》く知り給いぬ……」

そうです。私たちはこの時、あのゲッセマネでの夜、自分の全《すべ》ての運命を人間たちにそのまま委《ゆだ》ね給うた主のことを考えるべきでした。しかし私にとってこれは胸が潰《つぶ》れるほど長い時間だった。正直、こわかったのです。汗が額から眼に流れてきました。私は一隊の兵卒の跫音を耳にしました。炬火の火が闇の中に不気味に燃えながら近づいてきました。

誰かが炬火をさしだし、小柄の老人の醜い顔がその火影の中に赤黒く浮びあがり、その周りで五、六人の若い男たちが当惑したような眼で我々を見おろしていました。

「パードレ、パードレ」老人は十字を切って呟き、その声は我々をいたわる優しさがありました。今「パードレ、神父さま」というこのなつかしいポルトガル語をここで耳にしようとは夢にも思っていなかった。もちろん老人はそれ以外には我々の国の言葉を知っている筈はありません。しかし、我々にとって共通の徴《しるし》であるあの十字を彼は目の前で切ってくれたのです。彼等は日本人の信徒だった。私は眩暈《めまい》さえ感じながら砂浜の上にやっと立ちあがりました。これが日本の始めて踏む地面でした。それをこの時、はっきりと実感として感じました。

キチジローはみなのうしろで、あの卑屈な笑いを浮べてかくれていました。まるで鼠のように何かあれば、いつでも逃げ出せるような姿です。恥ずかしさで私は唇をかみました。主はいつでも自分の運命をどんな人間たちにも委せられた。それは彼が人間を愛し給うていたからです。しかし私はキチジローという一人の人間さえ疑っていた。

「早う、歩いてつかわさい」老人が小声で我々を促しました。「異教徒《ゼンチョ》たちに見らるっといかんですもん」

ゼンチョという我が国の言葉をこの信徒たちはもう知っているのです。聖フランシスコ師以来、我々の幾多の先輩たちが彼等にきっとこれらの言葉を教えられたに違いありません。不毛の土地に鍬《くわ》を入れ、それに肥料を注ぎ、ここまで耕すことはどんなに困難だったでしょうか。しかし、まいた種からこの悦ばしい芽がもう生えている以上、それを育てることが私とガルペの大きな使命となるのだと思いました。

この夜、天井のひくい彼等の家にかくしてもらいました。牛小屋が隣にあってその臭気が漂ってきましたが、しかし私たちはここでさえも危険なのだと言われました。異教徒たちは我々を見つけだせば銀三百枚を与えられるため、どんな場合、どんな人間にも心を許せぬのです。しかし、キチジローはなぜ、このように早く信徒たちを見つけることができたのでしょう。

翌朝、暗いうちに、昨日の若い男たちに伴われて私とガルペは野良着に着かえさせられ部落の背後にある山に登りました。信徒たちは我々をより安全な場所である炭小屋にかくそうというのです。霧が森も径《みち》もすっかりかくし、その霧もやがて細かな雨に変りました。

炭小屋で我々は始めて自分たちが到着した場所がどこであったかを教えてもらいました。長崎から十六レグワの距離にあるトモギという漁村なのです。戸数は二百戸にも足りぬ村ですが、かつては全村民のほとんどが洗礼を受けたこともあるのでした。

「今は」

「はい。神父様《パードレ》」我々を伴ってきたモキチという若い男は友だちをふりかえり、「今はわしらには、何もできません。わしらがキリシタンであるとわかれば殺されます」

私たちが首にかけていた小さな十字架をやった時の彼の悦びようはとてもここには書けぬほどです。二人とも恭しく地面に伏し、その十字架を額に押しいただき、長い間、礼拝をくりかえしていました。彼等はもう長い間、このような十字架一つさえ手に入れられなかったのだそうです。

「司祭《パードレ》はいるのですか」

モキチは手を固く握りしめたまま首をふりました。

「修道士《イルマン》は」

司祭《パードレ》はもちろん修道士《イルマン》たちの一人にもこの連中はもう六年も会っていないのです。六年前までは、それでもミゲル・マツダとよぶ日本人の司祭とイエズス会のマテオ・デ・コーロス師とがひそかにこの近辺の村や部落と連絡を保っていましたが、二人とも一六三三年の十月に疲れ果てて死んでしまったのでした。

「で、その六年間どうしたのです。洗礼やそのほかの秘蹟《ひせき》を」ガルペはそう訊《たず》ねました。モキチたちが答えた話の内容ほど我々の心を動かしたものはありません。今の事実を貴方《あなた》を通して、私は我々の上司に是非、告げて頂きたいのです。いいえ、上司だけではなく、ローマ教会のすべてにも是非、知って頂きたい。「ある種は沃き壌《よつち》に落ちしかば穂出で実り、一つは三十倍、一つは六十倍、一つは百倍を生じたり」あのマルコ聖福音書の言葉を私は今、思い出します。司祭も修道士もなく、役人たちの迫害に苦しみながら、彼等はしかしひそかにみえざる秘密の組織《コルディア》をつくっていたのです。

たとえばその組織はトモギ村では次のようなものでした。信徒たちの中から一人の長老がえらばれて司祭のかわりを代行するのです。私はモキチに教わったそのままをここに書きましょう。

昨日、砂浜で出会った老人は「じいさま」とよばれて、一同の最高の地位を占め、身を清らかに保っているので部落で新しい子供が生れると洗礼を授けます。じいさまの下には「とっさま」という連中がいて、ひそかに祈りと教えとを信徒たちに語りつたえるのです。そして「み弟子」といわれる部落民は消えようとする信仰の火を必死でともし続けているのです。

「トモギ村だけではなく」私は勢いこんで質問しました。「おそらく、ほかの村でもそのような結びつきをやっているでしょうか」

この時もモキチは首をふりました。あとになってわかったのですが、血縁ということを重んじるこの国では、一つの部落はまるで親族のように固く結ばれるので、他の部落とは、時には異民族のように敵意を持ちあうことさえあるのです。

「はい、神父様、自分の村衆だけは信じとります。ほかの部落衆にこげんことば知られれば代官さまに訴えられます。目明したちは、一日のうち一度は村から村をまわっとります」しかし、私はモキチたちにほかの部落や村の信徒たちも探しだしてくれないかと頼んでみました。荒廃し、見棄てられたこの土地に司祭がふたたび十字架をかかげて戻ってきたことを一日も早く告げねばなりません。

翌日から私たちの生活は次のようなものになりました。真夜中、まるでカタコンブの時代のように私たちはミサをたて、朝がた、山をのぼって訪れてくる信者をひそかに待つのです。毎日、彼等は僅かばかりの食糧を二人して持って来てくれます。その告悔《コンヒサン》をきき、祈り《オラシヨ》や教えを言いきかせます。昼は小屋の戸を固くとじて、万一、そばを通る者があっても気どられぬように物音一つたてません。もちろん火を起したり、煙をのぼらせることは禁物なのです。

トモギ村の西にある村々や島々には信徒がまだ残っているかもしれぬと思われるのですが、このような事情なので私たちは外出さえできぬ次第です。しかし、やがては私は何かの方法をみつけて、これら見棄てられ、孤立した信徒の群れを一つ一つ見つけていかねばならないでしょう。

III

セバスチァン・ロドリゴの書簡

六月になるとこの国では雨期に入るのだそうです。雨は一月あまりも絶えまなく降り続くのだと聞いています。雨期に入れば警吏たちの探索もややゆるむでしょうから、その期間を利用して、私はこのまわりを歩き、まだ、かくれている切支丹たちを探すつもりです。彼等がまだ全くの孤独でないことを一日も早く知らせてやりたいのです。

司祭という仕事がこれほど生き甲斐《がい》のあるものだと、かつて考えたことはありませんでした。海図を失った嵐の海の船。それがおそらく今の日本の信徒たちの気持でしょう。彼等は自分らを励まし、勇気づける司祭《パードレ》や修道士《イルマン》を一人も持たず少しずつ希望をなくし、闇の中を彷徨《ほうこう》しだすかもしれません。

昨日も雨でした。もちろん、この雨はやがてやってくる雨期の前ぶれではありません。しかし、一日中、この小屋をとり巻く雑木林に陰鬱な音をたてています。時々、樹々は身震いをして雨滴をおとします。そのたびごとにガルペと私は板戸の小さな隙間にしがみついて外を覗《のぞ》くのです。それがやっと風の仕業だとわかると怒りに似た気持が起きてきます。これからどのくらいこういう生活が続くのか。たしかに我々二人は妙にいらいらとして神経質になり、相手の一寸《ちょっと》した過ちにもきつい眼をむけるようになっています。毎日、神経を弓弦《ゆづる》のように張りつめている結果です。

貴方にもう少し詳しくこのトモギ村の信徒たちについて書きましょう。彼等は三エクタールにも充たない畑地で麦や芋を辛うじて栽培している貧しい百姓たちで、水田を持っている者もいません。海に面した山の中腹まで耕している耕地をみれば、その勤勉さに感心するよりも悲惨な生活の苦しさがじんと伝わってきました。それなのに、長崎の奉行は彼等に苛酷な税を課してきました。本当に長い長い間、この百姓たちは、牛馬のように働き、牛馬のように死んでいったのでしょう。我々の宗教がこの地方の農民に水の浸《し》み入るように拡がっていったのは、ほかでもない、生れてはじめてこの連中が人の心のあたたかさを見たからです。人間として取り扱ってくれる者に会ったからです。司祭たちのやさしさに動かされたのです。

私はまだすべてのトモギ村の信徒たちに会ったわけではありませぬ。なぜなら警吏たちに見つからぬため、真夜中、二人ずつの信徒だけが、この小屋にのぼってくるからです。実際、これらの無智な百姓たちの口から「デウス」とか「アンショ」「ペアト」というような我々の言葉が呟《つぶや》かれる時、思わず微笑せざるをえません。告悔の秘蹟も「コンヒサン」と言いますし、天国は「ハライソ」、地獄を「インヘルノ」と言うのです。ただその名は憶《おぼ》えにくく、その上、顔がどれも同じように見えるので閉口します。我々はイチゾウをセイスケとまちがえますし、オマツという女をサキという女性と混同してしまいます。

モキチのことについてはもう書きましたが、私はあと二人ほど私の信徒たちについて書きましょう。五十歳になるイチゾウはなにか怒ったような顔をして夜、小屋までやってくる男です。ミサにあずかる時も、あずかったあとも、ほとんど口をきいてはくれません。しかし、本当に腹をたてているわけではなく、これが彼の地顔なのです。好奇心のつよい男で、細い皺《しわ》だらけのうす眼をじっとあけて、私やガルペの一挙一動をじっとみています。

オマツはイチゾウの姉だそうですが、ずっと前に夫をなくした寡婦です。彼女は背中の籠に我我のための食事をもって姪《めい》のセンと一緒に二度ほど忍んでまいりました。彼女もイチゾウと同じように、好奇心が非常につよく、私とガルペが食事をするのを姪と一緒に観察しているのです。正直言って、貴方には想像できぬ粗食、幾つかの焼いた芋と、水とを私とガルペが飲みこむと彼女たちの顔に満足そうな笑いがうかびます。

「そんなに珍しいか」同僚のガルペはある日、癇癪《かんしゃく》を起して言いました。「わたしたちが食事をするのは」

彼女たちは、この言葉の意味がわからず、紙のように顔を皺くちゃにして笑っていました。

私は貴方にもう少し詳しく、信徒たちの秘密組織について書きましょう。この組織のなかに長老の「じいさま」と「とっさま」とよぶ役職があって、「じいさま」が洗礼の秘蹟を受けもち、「とっさま」が祈りや教理を信徒たちに伝えることは申しあげました。この「とっさま」はまた暦をくって我々の教会の祝日をみなに告げる仕事もするのです。彼等の話によりますとクリスマスも受難の日も復活祭もすべてこの「とっさま」の指示によって行われるのだそうです。もちろん、そういう祝日には司祭の絶えてしまった彼等にはミサにあずかることはできません。だからただ古い聖画を一軒の家の中でひそかにみせたあと祈りをするだけです。(彼等はこれらの祈りをラテン語のまま「パーテル・ノステル」だの「アベ・マリア」だのと申しております)そして祈りをとなえる時は、その合間になにげない雑談をまじえます。警吏たちがいつ踏みこんでくるかわからないし、たとえ踏みこまれてもこの時はたんなる寄合いだと言える準備をしておくためです。

島原の内乱以後、この地方の君主は、徹底的にかくれた基督教徒を探索しはじめ、警吏たちは一日一回は、各部落を巡察してまわりますし、また不意に家宅に侵入してくることもあります。たとえば、昨年から、すべての家は隣家との間に塀《へい》や垣根を作ってはならぬという布告が出ました。たがいの家の内側が見透せるようにして、もし怪しい振舞いをしている隣人がいればすぐ密告させるためです。私たち司祭《パードレ》の居場所を届けた者には銀三百枚が支払われます。修道士《イルマン》には銀二百枚、どんな信徒でも発見さえすれば銀百枚が賞金となるのです。これらの金があまりにも貧しい農民たちにどんな誘惑になるかをお察し下さい。だから信徒たちはほとんど他の村の人間を信じません。モキチやイチゾウといい、あの老人といい、ほとんど人形の面のように表情のない顔をしていることは既に書いた通りですが、その理由が今にして私ははっきりわかりました。彼等は悦びも悲しみさえも顔に出してはならぬのです。長い秘密の生活がこの信徒たちの顔を仮面のように作ってしまったのです。それは辛い、悲しいことです。神はなぜ、このような苦難を信徒たちの上にお与えになるのか、私にわからなくなることがあります。

我々が探索しているフェレイラ神父の運命とイノウエ(お忘れでしょうか。澳門《マカオ》のヴァリニャーノ師が日本における最も怖《おそ》ろしい人間といった男です）のことについては次の手紙で書きましょう。副院長のルンジウス・デ・サンクティス師に私の祈りと敬愛とをいつも受けて頂きたいと伝言してほしいと思います。

今日も雨です。私とガルペとは寝床がわりの藁《わら》の中に身を入れて闇の中で体をかいていました。首や背中の周りを小さな虫が這《は》うのでこのところあまり眠れません。日本の虱《しらみ》というのは昼間はじっとしているのに、夜になると我々の体を厚かましくも歩きまわる失敬な奴です。

こんな雨の夜はさすが、ここまで登る者もないので体だけではなく、毎日の緊張で張りつめた神経も休まります。雑木林の身震いする音をききながらフェレイラ師のことを考えていました。

トモギ村の百姓たちは彼の消息については全く何も知りません。しかし師が一六三三年までここから十六レグワ離れた長崎に潜行されていたことは事実です。そしてあの方と澳門のヴァリニャーノ師の連絡が糸の切れたように断たれてしまったのもこの年です。彼は生きているのでしょうか。噂のように、異教徒たちの前で犬のように這いつくばり、自分の生涯を賭《か》けたものを棄ててしまったのでしょうか。そしてもし彼が生きているとしたら今、この重くるしい雨の音を何処《どこ》で、どんな気持で耳かたむけているのでしょうか。

「かりに」思いきって虱と格闘をしているガルペに打ちあけました。「長崎まで行けば、フェレイラ師を知っていた信者も探しだせるかもしれない」

闇の中でガルペが身じろぐのをやめ、軽い咳《せき》を二、三度して、

「摑《つか》まったら、最後だ。これは二人の問題だけじゃない。我々をかくまった此処の百姓にまで危険が及んでくる。とにかく、我々はこの国で、布教の最後の踏石だということを忘れてはならぬ」

溜息《ためいき》が私の口から洩れました。彼が藁の中で体を起し、こちらをじっと見ている気配がはっきりわかります。私はモキチやイチゾウやそのほかの村の若者の顔を一つ一つ思い浮べました。誰かが、我々の代りに、長崎に行ってくれないだろうか。いいえ、それもできません。この連中には彼等を支えにしている家族という者があるのです。妻も子もない我々司祭とは生き方が違う。

「キチジローに頼んでみようか」

するとガルペは小さな声で笑いました。私の心にも船で汚物の中に顔を埋めていた彼、二十五人の水夫たちに手をあわせて許しを乞うていたあの臆病者の姿が浮びました。

「馬鹿な」私の同僚は言いました。「頼りになるものか」

それから二人は長い間、黙っていました。雨が小屋の屋根をまるで規則ただしい砂時計のこぼれるように降っています。ここでは夜と孤独とが一緒に結びあうのです。

「我々も……いつかフェレイラ師のように摑まるだろうか」

ガルペはまた笑いだし、

「そんなことよりも私には、この背中を這っている虱の方に関心があるね」

日本に来てから彼はいつも陽気でした。ひょっとすると陽気を装うことによって、私と自分自身とを勇気づけようと考えていたのかもしれません。私だって正直な話、自分たちが摑まるとは考えてはいない。人間とは妙なもので他人はともかく自己だけはどんな危険からも免れると心の何処かで考えているみたいです。雨の日に遠く、そこだけ薄陽の照っている丘を想像する時のように、自分が日本人たちに捕縛された瞬間やその姿は一向に心に浮ばないのです。私たちはこんな小屋にいますが、いつまでも安全な気がするのです。なぜか知りませんが本当におかしな話です。

三日降りつづいた雨がやっとやみました。小屋の板戸の隙間から、白い光が一条、さしこんできたのではっきりとわかります。

「少しだけ外に出ようか」私がそう言うとガルペは嬉しそうに微笑してうなずきました。湿った戸を少し押しただけで雑木林の中から鳥が唄を歌っているのが、湧《わ》きでる泉のように聞えてきました。生きていることが、こんなに倖《しあわ》せだったとは今まで考えなかったくらいです。

小屋の横近くで腰をおろし、私とガルペとは着物をぬぎました。糸の縫目に白い埃《ほこり》のように虱たちがじっとかくれていて、その一匹一匹を石で押しつぶすと、言いようのない快感さえ感じます。こんな快感を警吏たちは信徒を殺すたびに味わっていたのかもしれませんね。

林の中にはまだ少し霧が流れていましたが、霧の割れ目から青い空と遠い海がみえました。トモギ村らしい集落がその海べりに、まるで牡蠣《かき》のようにしがみついています。

長い間、小屋に閉じこめられた私たちは、虱を殺す手をやめてむさぼるように人間たちのいる世界を見つめていました。

「なんでもないじゃないか」

ガルペは金色の胸毛の光る裸体を太陽に気持よさそうにさらしながら白い歯をみせて笑いました。

「どうやら、危険を怖れすぎたようだ。これからも時々、せめて日光浴をする楽しみぐらいは許してもらおう」

毎日、晴れた日が続き、少しずつ大胆になった我々は、若葉と湿った泥の臭いのこもる林の斜面を歩くようになりました。ガルペは、この炭小屋のことを修道院だとよんでいました。いい加減散歩すると、彼はこう言って私を笑わしたものです。

「修道院に戻ろう。そしてあたたかいパンと脂のよく出たスープで食事をしよう。しかし、日本人の連中にこのことは黙っておこう」

私たちはリスボンで貴方と送ったあの聖ザベリオ修道院の生活を思い出していたのです。もちろん、ここには一本の葡萄酒も牛の肉もありません。我々の食事はトモギ村の百姓がもってきてくれる焼いた芋と煮た野菜ぐらいのものなのです。しかしすべては安全で神に守られているという確信が心の底から起ってきました。

ある日のこと、私たちはいつものように雑木林と小屋との間の石に腰をかけて話をしていました。夕暮の陽が林に木洩日《こもれび》をつくり、暮れなずむ空の光の中に一羽の大きな鳥が黒い弧線を描きながら向うの丘に飛んでいきました。

「だれかが、見ている」突然、ガルペが下を向いたまま小さいが鋭い声で申しました。「動いてはいけぬ。このままの姿勢でじっとしているのだ」

たった今、鳥の飛んでいた林一つを隔てた薄陽のさした丘に二人の男が立ってこちらを見ていました。もちろん、我々の知っているトモギ村の百姓たちではないことはあきらかでした。西陽が我々の顔をはっきりと浮びあがらせないことを願いながら、我々は石のように体を固くしていたのです。

「もうし……だれだあ」

むこうの二人は、丘の頂から声をあげて呼びかけてきました。

「もうし……だれだあ」

何か返事をすべきかどうか迷いましたが、しかし、もしそのためにかえって相手に怪しまれるのを怖れて口をしっかり閉じていたのです。

「丘をおりて、こっちにくる……」とガルペは石に腰かけたまま、低く言いました。「いや、そうじゃない。彼等は戻っていく」

彼等が谷をおりていくのが小さく見えました。しかし、あの西陽のあたる丘に立った二人の男たちが我々をどこまで見ていたのか、わかりません。

その夜、山にイチゾウがマゴイチという「とっさま」に属する男をつれて登ってきました。私たちが今日の夕暮、起った出来事を話すと、イチゾウは細い眼でじっと小屋の一点を見つめ、やがてだまったまま立ちあがると、マゴイチに何か言いつけて二人は床の板を剝《は》がしはじめました。

魚油の灯に蛾《が》がまわっています。板戸にかけた鍬をとって彼は地面を掘りはじめました。彼等が鍬をふるう姿が壁にうかびあがりました。我々二人の体を入れるほどの穴を掘ると彼等はその下に藁を敷き、上を板で覆いました。今後はこの穴をいざという場合、我々のかくれる場所とするのだそうです。

あの日以来、万事に気をつけて、もう二度と小屋の外に姿を見せないように努め、夜は夜で灯もつけぬよう気をつけました。

次の出来事が起ったのは、それから五日目のことです。その日、夜遅くまで私たちは「とっさま」の衆に属する男二人とマツとがつれてきた赤ん坊にひそかに洗礼を授けました。これが、私たちが日本に来てから始めて行った洗礼で、もちろん蠟燭もなく音楽もないこの炭小屋では、聖水を入れる小さな欠けた百姓の茶碗だけが儀式の道具でした。しかしどんな大聖堂の祭典にもまして、みじめな小屋で、赤ん坊が泣き、マツがそれをあやし、一人の男が小屋の外に張番にたち、ガルペが重々しい声で唱える洗礼の祈りを聞いた時ほど私に悦びを与えたものはありませぬ。それは異国に赴いた布教司祭だけが味わえる幸福でしょう。洗礼の水で額を濡らされた赤ん坊は、顔を皺だらけにして泣き声をたてました。頭が小さく、眼が細く、モキチやイチゾウと同じようにやがて百姓になる顔。この子もまたいつかはその親や祖父と同じように、この暗い海に面した貧しい狭隘《きょうあい》な土地で牛馬のように働き、牛馬のように死なねばならぬ。しかし、基督《キリスト》は美しいものや善いもののために死んだのではない。美しいものや善いもののために死ぬことはやさしいのだが、みじめなものや腐敗したものたちのために死ぬのはむつかしいと私はその時はっきりわかりました。

彼等が引きあげたあと、疲れて藁の中にもぐりこみました。小屋の中には男たちの持ってきた魚油の臭いがまだ残っています。虱がまたゆっくりと背中や腿《もも》を這いまわりだしました。どのくらい眠ったでしょう。ガルペは例によって楽天的な大きな鼾《いびき》をかくので私は少し眠ったのち眼をさましました。小屋の戸をだれかが少しずつゆさぶっているようでした。始めは下の谷から吹きあげる風が雑木林をぬけて戸にぶつかるのかと思ったほどです。私は藁から這い出て闇のなかで床板にそっと指をかけました。この下にはイチゾウが掘ってくれた秘密の穴があったからです。

戸を動かす音がやみ、男のひくい悲しそうな声がしました。

「パードレ、パードレ」

トモギ村の百姓たちの合図ではありませんでした。トモギ村の信徒なら戸を軽く三つ叩くというのが約束でした。ようやく眼をさましたガルペも身じろぎもせず、じっと耳をすましています。

「パードレ」悲しそうな声は繰りかえしました。「わしらあ……怪しい者じゃなかっとです」

闇のなかで息をこらして黙っていました。どんな馬鹿な警吏でもこれくらいの罠《わな》はしかけてくる筈です。

「信じてくれんとですか。わたしはフカザワ村の百姓で……わしら、長い間、パードレに会《お》うとらん。告悔《コンヒサン》ばしたかとです」

こちらの沈黙に、諦《あきら》めたように戸をゆさぶる音がやみ、悲しそうに跫音が遠のいていきます。

私は戸口に手をかけて外に出ようとしました。そうです。彼等が警吏で、罠をかけたとしても、かまわぬと思いました。もし信徒だったら、お前はどうするのだと言う声のほうが心の中で強くひびいたからです。私は人々に奉仕するために生れてきた司祭でした。その奉仕を肉体の臆病ゆえに怠るのは恥でした。

「よせ」ガルペがきびしく私に言いました。「馬鹿な……」

「馬鹿でもいい。義務からではない」

戸をあけました。月光がその夜、どんなに蒼白《そうはく》で大地も林も銀色に浮びあがっていたことか。乞食《こじき》のように襤褸《ぼろ》をまとった二人の男たちが犬のようにうずくまり、こちらをふりむき、

「パードレ、信じてくれんとでしょうか」

一人の男の足が血まみれになっていることがわかりました。山に登ってくる途中、切り株に傷ついたのかもしれません。彼等は倒れるくらい疲れ果てていました。

無理もない。二十レグワもはなれた海の中の五島という島からここまで役人の眼をかくれてたどりついたのです。

「この前からこの山に居ったとです。五日前にあの丘にかくれて、こっちば見よったとです」

その一人が小屋の向う側の丘を指さしました。あの日の夕暮、その丘で我々をじっと観察していたのはこの連中でした。

小屋の中に入れ、イチゾウが我々のために運んできた干し芋を与えると、両手を口にあてて獣のようにむさぼり食べます。この二日間、ほとんどなにも食べていなかったということがよくわかりました。

漸《よう》く話を聞きだしました。誰が一体、彼等に我々の存在を教えたというのでしょう。それがまず一番、ききたい所でした。

「わしらの在の者で切支丹のキチジロが申したとです」

「キチジロー」

「はい、パードレ」

魚油の火影の中で彼等は芋を口にあてたまま獣のようにうずくまっていました。一人の男の歯はほとんど欠けていました。がその二本の歯をむきだしにして彼は子供のように笑いました。もう一人の男は、私たち異国の司祭の前で緊張し固くなっていました。

「しかし、キチジローは信徒でない筈だ……」

「うんにゃ、パードレ、キチジロは切支丹にてござります」

これは少し意外な返事でした。しかし我々としてもあの男があるいは基督教徒ではないかと半ば想像はしていたのです。

事情が少しずつわかってきました。やはりキチジローは一度ころんだ切支丹でした。八年前、彼とその兄妹はその一家に恨みをもった密告者のため密告を受け切支丹として取調べを受けたのです。キチジローの兄も妹も主の顔を描いた聖画を足で踏むように言われた時、これを拒絶しましたが、キチジローだけは役人が一寸、脅しただけで、もう棄教すると叫びだしました。兄妹はすぐに投獄され、放免された彼はついに村に戻らなかったのです。

火刑の日、刑場をとり巻いた群集のなかに、この臆病者の顔を見たという者もありました。野良犬のように泥だらけになった彼の顔は兄妹の殉教を見ることさえできず、すぐ消え去ってしまったというのです。

私たちはまた彼等から驚くような報告を受けました。彼等の部落オオドマリでは村民全部が役人たちの眼をのがれて今も基督教を信じているのです。そしてオオドマリだけではなく、その附近のミヤハラやドウザキやエガミとよぶ部落や村々にも表面、仏教徒を装いながら、しかし信徒である者があまたかくれているとのことでした。彼等はある日、遠い海からふたたび我々司祭たちが自分たちを祝福し、助けてくれる日を長い長い間待っていたのです。

「ばってん、わしらはもうミサも告悔《コンヒサン》も受けちょりません。みんな、ただオラショだけ唱えるとでござります」

足を血まみれにした男が申しました。

「早う村に来てつかわさい、パードレ。わしら小さか子にもオラショば教えて、パードレが来られる日を待っとったとですが」

黄色い歯が欠けた男は空洞のような口をあけてうなずき、魚油が豆のはじくような音をたてて燃えました。ガルペや私がどうしてこの哀願に首をふることができたでしょうか。我々は今日まであまりに臆病すぎました。足を傷つけ、山に野宿しながら我々をたずねてきたこの日本の百姓たちにくらべてあまりに臆病すぎました。

空が白み、乳白色の朝がたのつめたい空気がこの小屋にしのびこみます。彼等はどんなに我々がすすめても藁の中にもぐりこもうとはせず、膝《ひざ》をだいて眠りました。やがて朝の光がやっと板と板との隙間からさしこんできました。

翌々日、トモギ村の信徒たちに五島に行くことを相談しました。結局、ガルペがここに残り私は五日ほどの間、五島の信徒たちと接触することに決めました。彼等はあまりこの話によい顔をしませんでした。危険な罠ではないかと言う者もいました。

約束の日の夜、トモギ村の海岸まで彼等はひそかに迎えにきました。こちらはモキチともう一人の男が、日本の百姓の服装をした私を海岸で守っていて舟に送りこみました。月のない真暗な海を、櫂《かい》の軋《きし》んだ音だけが、規則ただしくひびきます。そして舟を漕《こ》ぐ男はただ黙っています。沖に出ると波が大きくうねりだしてきました。

不意に私はこわくなってきました。疑惑がかすめました。あるいはこの男も、トモギ村の連中が案じたように、私を売るための手先なのかもしれない。なぜ足に怪我した男と歯の欠けた男がついてこないのだろう。こういう時、仏像のように表情のない日本人の顔は気味わるさを与えます。舳《へさき》にうずくまって私は寒さのためではなく恐怖のために震えました。しかし、行かねばならぬ、そう言いきかせました。

夜の海はどこまでも黒く拡がり空には星さえみえませぬ。その暗夜の中を二時間、真黒な島影が舟のそばをゆっくり動くのを私は感じました。そこが五島に近い樺島《かばしま》だと私はやっと男から教えられました。

浜につくと船酔いと疲れと緊張とで眩暈《めまい》をおぼえました。私は待っていた三人の漁夫たちの顔の中にキチジローの卑しい臆病そうな笑いを久しぶりで見つけました。部落は灯を消し、犬が部落の何処かで火のついたように吠えていました。

五島の百姓と漁夫たちがどんなに司祭を待っていたかは、あの歯のかけた男が言う通りでした。どうしていいか、今わからないくらいです。眠る暇さえありませぬ。彼等は基督教の禁制などはまるで無視したように、私のかくれ家に次から次へとやってくるのです。子供たちに洗礼を授ける。大人たちの告悔《コンヒサン》をきく。一日つぶしても、その人数はたえませぬ。まるで砂漠の中を歩きつづけた隊商がやっとオアシスの水をみつけたように、彼等は私をむさぼり飲もうとしている。聖堂のかわりにしたこの潰《つぶ》れたような農家に彼等の体が充満し、吐き気のするような臭いのただよった口をちかづけて彼等は自分たちの罪を懺悔《ざんげ》します。病人までが這うようにしてここまでやって来るのです。

「パードレ……聞いてくれんとですか」

「パードレ……聞いてくれんとですか。パードレ……」

そして滑稽なことには、その中でキチジローが前とは違ってまるで英雄のように部落民からもてはやされ得意そうに動きまわっているのです。なんと言ってもこの男がいなければ、司祭である私はここまで来れなかったのですから、彼が威張るのは無理もありますまい。過去の出来事も、一度は棄教をしたという事実もこのおかげですっかり忘れられたようです。多分、この酔っぱらいは、信徒たちに澳門や長い船旅のことを誇張して話し、二人の司祭を日本につれてきたのもまるで自分の力であるかのように言ったことでしょう。

しかし、私は彼を叱ろうとは思いません。キチジローの口軽には迷惑しますが、彼のために恩恵を蒙《こうむ》ったのも事実です。私は彼に告悔《コンヒサン》をすすめ、彼は素直に自分の昔の罪をすべて告白しました。

彼にはあの主の言葉をいつも考えるように命じました。「人の前にて我を言いあらわす者は、我も亦《また》、天にいます我が父の前にて言い顕《あら》わさん。されど人の前にて我を否む者は我も亦、天にいます我が父の前にて否まん」

キチジローはそういう時、叩かれた犬のようにしゃがんで自分の頭を手でうちます。この性来、弱虫男には、勇気というものがどうしても持てなかったのです。性格そのものは本当に善良なのですが、意志の弱さと一寸した暴力にも震えあがる臆病さを治すのはお前の飲んでいる酒ではなく、ただ信仰の力だと私は手きびしく言ってやりました。

私の長い間の想像はまちがっていませんでした。日本人の百姓たちは私を通して何に飢えていたのか。牛馬のように働かされ牛馬のように死んでいかねばならぬ、この連中ははじめてその足枷《かせ》を棄てるひとすじの路《みち》を我々の教えに見つけたのです。仏教の坊主《ボンズ》たちは彼等を牛のように扱う者たちの味方でした。長い間、彼等はこの生がただ諦めるためにあると思っているのです。

今日まで三十人もの大人たちと子供に洗礼を授けました。ここだけではなく、ミヤハラ、クズシマ、ハラヅカからも裏山を通ってひそかに信徒たちはやってくるのです。五十人以上もの告悔《コンヒサン》もききました。安息日のミサのあとにはそれら信徒を前にして、始めて日本語でオラショを共に唱え、語りもしました。百姓たちは好奇心のこもった眼で私を見つめています。しゃべりながら脳裏にしばしば山上の説教をするあのお方の顔と、あるいは腰をおろし、あるいは膝をかかえてその言葉に聞きほれている者たちの姿を思い浮べました。なぜこのように私はあの方の顔を思い浮べるのか。おそらくそのお顔が聖書のどこにも書かれていないからでしょう。書かれていないゆえに、それは私の想像に委《まか》せられ、そして私は子供の時から、数えきれぬほどそのお顔をまるで恋人の面影を美化するように胸にだきしめたのです。神学生の時、修道院にいる時、私は眠れぬ夜、彼のうつくしい顔をいつも心に甦《よみがえ》らせました。いずれにしろこうした集まりが、どんなに危険なことかよくわかっています。遅かれ早かれ、私たちの動きは役人の嗅《か》ぎつけるところとなるかもしれませぬ。

フェレイラ師の消息はここでもまだわかりません。彼を見たという年寄りの信徒に私は二人会いました。その結果、フェレイラ師が長崎のシンマチという場所で道に棄てられた赤ん坊や病人の家を作られたということだけはわかりました。もちろんこれはまだ迫害がそうきびしくない前のことですが、話を聞いただけで、あの師の面影が心のなかに髣髴《ほうふつ》と思い浮んだのです。顎《あご》にたくわえられた栗色の髭《ひげ》と少しくぼんだ眼差《まなざ》しで、かつて私たち学生に接しられたのと同じように日本のみじめな信徒たちの肩にも彼は手をおいたのでしょう。

「そのパードレは」と私はその二人にわざとこういう質問をしてみました。「こわい人でしたか」

老人は私を見上げ懸命に首をふりました。こんな優しい人を見たことはないと、その震えた唇が言うようでした。

トモギに戻る前、私はこの部落の連中たちに、例の組織《コルディア》を作ることを教えました。そうです。

トモギ村で信徒たちが司祭の不在の間にひそかに作りあげていた組織《コルディア》です。じいさまを選び、とっさまを作り、そして教理が若い者や子供や新しく生れる生命の裡《うち》に途絶えないようにするためには、今の情勢ではこういう方法にたよるしかありません。ここの部落の連中はこの方法に興味を示しましたが、いざ、誰をじいさまやとっさまに選ぶかとなると、まるでリスボンの選挙民たちのように口論をしはじめました。中でもキチジローは特に自分が役職につくことを頑強に主張していました。

もう一つ注意しなければならないことは、トモギ村の連中もそうでしたがここの百姓たちも私にしきりに小さい十字架やメダイユや聖画を持っていないかとせがむことです。そうした物は船の中にみな置いてきてしまったと言うと非常に悲しそうな顔をするのです。私は彼等のために自分の持っていたロザリオの一つ一つの粒をほぐしてわけてやらねばならなかったのです。こうしたものを日本の信徒が崇敬するのは悪いことではありませんが、しかしなにか変な不安が起ってきます。彼等はなにかを間違っているのではないでしょうか。

六日後の夜、またひそかに小舟に乗せられ、夜の海を漕ぎだしました。櫂を漕ぐ軋んだ音と舟を洗う海の音が単調にきこえ、舳にたったキチジローは小声で唄を歌っています。五日前、同じ舟でここを渡った時、自分が急に説明のつかないこわさを感じたことを思いだして、私は微笑しました。何もかもうまく運んでいる。そう思いました。

日本に来て以来、想像している以上にうまく運んでいる。私たちは自分から危険な冒険をすることもなく、次々と新しい信徒の群れを見つけることができたし、警吏たちに今日までその存在を気づかれたことはない。澳門でヴァリニャーノ師はあまりに日本人の弾圧に怯《おび》えすぎていられるのではないかと、そんな気さえします。嬉しさとも幸福感ともつかぬ感情が急に胸をしめつけました。それは自分が有用だという悦びの感情でした。あなたの全く見知らぬこの地の果ての国で私は人々のために有用なのです。

そのためか帰りは行きほど、舟も私には長く感じられませんでした。そして舟が軋み、底に何かがぶつかったような感じがした時、もう、トモギに戻ったのかと驚いたほどでした。

砂浜に体をかくし、私はモキチたちが迎えにくるのを、一人で待っていました。こんな警戒さえ、ひょっとすると、もう無駄なのではないかと考え、ガルペと自分とが、この国に到着した夜のことをみち足りた気持で思いだしていました。

跫音がして、

「パードレ」

私が嬉しさのあまり、起きあがり、砂だらけの掌を握ろうとした時、

「逃げてつかわさい。早う逃げてつかわさい」

早口でモキチはそう言うと、私の体を押しのけました。

「役人衆たちが、村に……」

「役人衆たちが……」

「はい、パードレ、役人衆に、嗅ぎつけられたごたっと」

「私らのことも」

モキチは急いで首をふりました。私たちがかくまわれていることはまだ気づかれていなかったのです。

しかし、モキチとキチジローに手を引かれるようにして、部落とは反対の方角に走りました。畠《はたけ》に出ると、できるだけ麦の穂のあいだにかくれながら、我々の小屋にいたる山の方角に進みました。この時、少しずつ霧雨が降ってきました。日本の梅雨がいよいよはじまったのです。

Ⅳ

セバスチァン・ロドリゴの書簡

また当分の間、この手紙をあなたにしたためることができそうです。五島布教から戻った時、役人たちの探索が村で行われていたことは既に申しあげましたが、ガルペも私も無事であることを思うと、心から感謝せずにはおられません。

好運にも日本の役人たちが到着する前にとっさまがいち早く、聖画や十字架など危険なものをすべてかくさせました。こういう時、例の組織《コルディア》がどんなに役にたったかわかりません。みなは何くわぬ顔をして畠で仕事を続け、例のじいさまがとぼけた顔で役人の質問にのらりくらりと返事をしました。農民たちの持っている智慧《ちえ》で、圧政者の前では馬鹿を装ったわけです。長問答の末、彼等は結局、疲れ果てて諦めて部落から引き揚げました。

この話を私とガルペにしてくれたイチゾウとオマツとは得意そうに歯をむきだして笑いました。その表情にはいかにも虐げられてきた者の狡《ずる》さがむき出していました。

ただ、今でも腑《ふ》に落ちないのは、だれが私たちの存在を役人に訴えたのでしょうか。まさか、トモギ村の連中ではないと思いますが、村民たちの間でも少しずつ互いに疑惑を抱きあっているのです。仲間割れが起きないかと私は心配しています。

しかし、それを除けば久しぶりで戻った村は全く平和です。この小屋にも真昼など、麓《ふもと》から鶏の声がきこえます。赤い花が絨毯《じゅうたん》のように咲いているのが見おろせます。

トモギ村に私たちと戻ったキチジローはここでもすっかり人気者になっています。お調子者の彼はあちこちの家をたずねまわり、得意になって五島の模様を大袈裟《おおげさ》にしゃべっているそうです。私がどんなにあの島の連中から歓迎されたか、そしてその私をつれていった自分がどんなにもてはやされたかを吹聴《ふいちょう》して歩くたびに、ここの部落民は彼に食事を与え、時には酒を飲ませるのでした。

一度、酔ったままキチジローは二、三人の若い衆たちをつれて私たちの小屋にたずねてきました。赤黒くなった顔をしきりに手でなぜ、彼は鼻をうごめかしながら言いました。

「パードレよ。この俺《おい》がついとるとよ。この俺《おい》がついとればな、案ずることは何もなか」

若い衆たちに幾分、尊敬の眼をむけられ、彼はますます上機嫌で唄を歌いはじめました。歌い終ると、「この俺《おい》がついとればな、案ずることは何もなか」それから彼は足を投げだして、いぎたなく眠りこけました。お人好しなのか、調子者なのか、何か憎めぬような気さえしてくるのです。

日本人の生活について少しお知らせしましょう。勿論《もちろん》これは私がみたトモギ村の百姓たちについて、彼等からきいた話をそのまま報告するのですから、これだけで日本全部を考えるわけにはいきませぬ。

まず百姓たちはあなたがポルトガルのどんな辺鄙《へんぴ》な地方で見られるもの以上に貧しくみじめだということをお知りにならねばなりません。富裕な百姓でさえ、日本人の上層階級がたべる米を年に二度、口に入れるだけなのです。普通は芋と大根という野菜などが彼等の食物で飲物は水をあたためて飲みます。時には草木の根を掘って食べることもあります。彼等の坐る方法は特別です。我々と非常に違っています。膝を地面や床の上につけ、我々がかがむ時のように足の上に腰をおろすのです。彼らにとってこれは休息となりますが、私やガルペには慣れるまで甚《はなは》だこの習慣は苦痛でした。

家屋はほとんどが藁《わら》で屋根を覆い、不潔で悪臭がみちています。牛や馬をもつ家はトモギ村では二軒しかありません。

領主は領民たちにすべての権利をもっており、それは基督《キリスト》教国の国王が所有しているものよりはるかに強力です。年貢の取立ては甚だきびしく怠ったものには容赦のない刑罰が加えられます。島原の内乱も、この年貢取立ての苦痛に耐えかねた百姓たちが領主に反抗したものなのです。たとえばトモギ村でも五年前、モザエモンという男が五俵の米を納めなかったために、その妻子を人質として水牢《みずろう》に入れたという話をききました。百姓たちは武士の奴隷になりますが、その上に領主が君臨しています。武士は非常に武器を大切にし、その地位を問わず十三歳か十四歳になるとみな短刀と大刀とを腰にさします。領主は武士にたいして絶対的な君主で思いのままに何人《なんぴと》に気兼ねすることなく彼等を殺すことができ、その財産を没収することができます。

日本人は冬でも夏でも頭部をつねに覆うことなく、寒さに体をさらすような服装をしています。一般に毛ぬきで頭髪を抜くのでまったく禿《はげ》になり、ただ襟首《えりくび》の部分に一握りの長髪を残し、これを結ぶのです。仏僧は頭を全部剃《そ》りますが、仏僧でなくても家を息子にゆずった者や武士の中には頭を剃る者も沢山いるとのことです……。

……突然ですが、今から六月五日に起った事件について出来るだけありのまま記述したいと思いますが、あるいはただ短い報告に終るかもしれません。今となっては危険はいつ我々を襲ってくるか予想もつかぬのです。とても、長い詳細な話をする余裕がありません。

五日の昼ちかく、下の部落でただならぬ事件が起きたような気がしました。犬がしきりに吠える声が雑木林を通して聞えてきたのです。晴れて非常に静かな日には、犬の声、鶏の声がここまでかすかに流れてくるのは珍しくなく、それはこの小屋にかくれている私たちにある慰めだったのですが、今日のそれには、なぜか、不安なものを肌に感じ、私たちは嫌な予感にかられて雑木林の東側まで行ってみました。ここからは比較的、麓の部落が一望できるからでした。

部落に通ずる海沿いの街道に白い砂塵《さじん》が起っているのがはじめ眼にうつりました。どうしたことでしょう。気でも狂ったように一匹の裸馬が部落から走りだしていくのです。部落の出口に五人ほどの男たち——あきらかに百姓ではない男たちが立って、村から誰も逃げ出さないように固めているのがわかりました。

役人たちが部落を探索しに来たのだとすぐ気づきました。ガルペと私とは転ぶように小屋に戻ると我々の生活が気どられる一切の物を手に持ち出し、以前イチゾウが掘ってくれた穴に埋めました。その仕事が終ると勇気を出して林を下り、部落をもっとはっきり見ようと決心したのです。

部落から何の音も聞えません。真昼の白い陽が街道にも部落にも照りつけている。まずしい農家の影が街道におちているのだけがはっきりと見える。なぜか人の動く気配もなく、さっきまで流れてきた犬の声もはたとやみ、まるで文字通りトモギ村はうち棄てられた廃墟《はいきょ》のようです。にもかかわらず、私は部落を包んでいるこの怖《おそ》ろしい沈黙を感じました。一生懸命に祈りました。祈りというものがこの地上の幸福や僥倖《ぎょうこう》のためにあるのではないことはよくわかっていましたが、わかってはいても私は真昼のこの怖ろしい沈黙が早く、早く村から去ることを祈らざるをえなかった。

犬がふたたび吠えはじめ、部落の出口をかためていた男たちが走りだしていきました。そして彼等にまじって、あの「じいさま」といわれている老人が縄にくくられて姿をあらわしました。黒い笠をかぶった武士が馬上から何か叫ぶと老人のうしろに一列をつくり、男たちが背後を警戒しながら歩きだしました。鞭《むち》をふりあげた武士は自分だけ白い埃をあげて街道を走り、途中でうしろをふりむきました。両脚をあげて立ちあがった馬の姿と、よろめきながら男たちに曳《ひ》きずられていった老人のうしろ姿を私はまだはっきりと憶《おぼ》えています。蟻《あり》のように彼等の姿はいつまでも白い真昼の街道を進み、小さく消えていきました。

夜、詳しい事情はキチジローを伴って山に来たモキチからききました。役人たちが姿をあらわしたのは昼前だったのです。今度はこの前とちがって彼等の探索を前もって部落民は知ることができなかった。部落民は逃げまどい武士は部下を怒号しながら、部落の端から端まで馬で駆けまわりました。

彼等はどの家にも切支丹の証拠が見つからないのを知っても、この前のように諦めて引き揚げようとはしません。

武士は百姓たちを一箇所に集めて、もしすべてを白状しないならば人質をとると通達しました。

しかし誰一人として口を割る者はいなかった。

「わしら、年貢も怠ったことはございません。公役《くやく》もよく務めましてございます」じいさまは武士に懸命に申しました。「葬式もみなお寺でいたしとります」

武士はそれには答えず、鞭の先でじいさまを指さしました。瞬間、一同のうしろにいた警吏が素早くじいさまに縄をかけました。

「見るがいい。つべこべと詮議《せんぎ》はせぬ。近頃、お前らの中には禁制の切支丹をひそかに奉ずる者があるという訴人があった。誰と誰がさような不届をしておるのか、まっすぐに申したる者には銀百枚を与える。しかしお前たちが白状いたさぬ限り、三日後にまた人質をとっていくがどうだ。よく考えておくがよい」

体を真直ぐにしたまま百姓たちは黙っていました。男も女も子供たちも黙っていました。ながいながい間、そうやってこれら信徒は敵と向きあっていたのです。今にして思えば、この静まりかえった時、私たちは部落を山から凝視していたにちがいありません。

武士は馬の首を出口の方にむけ、鞭をもって去っていきました。馬のうしろにくくられたじいさまは一度倒れ、起きあがり、また倒れ、曳きずられ、男たちがその体をもち上げて立たせました。

これが我々の聞いた六月五日の出来事です。

「はい、パードレ、わしら、パードレのことは口ば割らんやった」モキチは野良着の膝に両手をきちんとおいて申しました。「またお役人が来られたっちゃ口ばわりまっせぬ。どげんことんあったっちゃそげんしますけん」

彼にそう言わせたのは私かガルペの顔に少しでも怯《おび》えた影が浮んだからでしょうか。もし、そうなら恥ずかしいことでした。しかし、平生はどんなことにでも陽気なガルペまでが、苦しそうにモキチを見つめたのも無理がなかったのです。

「しかし、それではいつか、あなたたちが、みんな人質にとられるでしょうが」

「はい、パードレ、そげんなったっちゃ、わしらは口ば割りません」

「それはできぬ。それより我々二人がこの山を立ちのくほうがいい」ガルペは私とモキチのそばで怯えて坐っているキチジローに向きなおりました。「たとえばこの男の島に逃げるわけにはいかないのか」

この言葉にキチジローは怖れを顔いっぱい漂わせて黙りこみました。今となると臆病で気の弱いこの男は、私たちをここまで送ってきたために事件に巻きこまれ、困惑しきっていたのでした。彼は信徒としての自分の面目をたもち、しかも自分が助かる方法を小さな頭で懸命に考えているようでした。狡《ずる》そうな眼を光らせ手を蠅《はえ》のようにこすりながら、五島にもやがては同じような探索の手がのびるにちがいない。だからこの近辺よりも、もっと遠い地方に行かれたほうがいいなどと言いだすのでした。

翌日になるとトモギの部落民たちの気持が動揺しはじめました。結論のつかぬままにその夜、彼等は山をひそかにまたおりていきました。今更、私は彼等を責めようとは思いませんが、モキチの報告によると彼等の中には我々二人をどこか別な場所に移ってもらうべきだと言うものと、あくまで自分たちの手でかくまおうと主張する者——この二つにわかれたと言うのです。部落に災いをもたらしたのは、結局、私とガルペだと口に出した者さえいたそうです。しかし、その中でモキチやイチゾウやオマツは意外に強い信仰を見せてくれました。彼等はどんなことがあっても司祭を守ろうと考えているのです。

この動揺こそ役人たちのつけ目でした。六月八日、今度はあの馬に乗った猛々《たけだけ》しい武士ではなく年とった武士が、四、五人の従者をつれて姿を見せ微笑しながら、皆に損得の利害をわきまえるように申しました。今度は、もし正直に邪教の切支丹を信じている者を教える者には今後の年貢を軽減しようと提議したのです。年貢の軽減は日本の百姓たちにとってどんなに大きな甘い誘惑だったことでしょう。にもかかわらず貧しい百姓たちは誘惑に勝ってくれました。

「そこまで首を横にふるなら、わしとしてもお前らの言うことを信用せねばならんな」

年とった武士は従者をふりかえって笑いました。

「しかし、お前らと訴人とのいずれの申し分を是とするか、上司に伺わねばならぬ。その上で人質も手もとに戻そう。一同の中から三人ほど、明日、長崎に出頭せよ。悪いようにはせぬゆえ、案ずるには及ばぬ」

声にも言葉にも威嚇的なものはありませんでしたが、それだけに、これが罠《わな》だということは部落の者にはわかっていました。この夜、トモギの男たちは、明日、長崎の奉行所に誰を差し出すかを随分長く議論しあったのです。あるいは人質にされるかもしれぬこの取調べに出た者は生きて戻れぬかもしれぬ。それを思えば「とっさま」役の者さえ尻ごみします。暗い農家に寄り合った百姓たちは、たがいに相手の顔を窺《うかが》い、自分はこの役を逃れられるよう心ひそかに願ったようです。

キチジローが指名されたのはこうしたためでした。キチジローならばトモギの出身ではなく、他国者ですし、それに、もとはと言えばこうした災いが起ったのもこの男のためではないかという気持が誰にもあったからではないでしょうか。可哀想に臆病な彼はみなの身代りという役を押しつけられ、すっかり混乱して泪《なみだ》ぐむと最後にはみなを罵《のの》りだしましたが、部落の者たちから、後生じゃ、わしらは女房も子供もいる。あんたは他村者《よそもの》ゆえ、お役人たちもきびしゅう詮議はされまい。わしらに代って行って下され。手を合わせて拝まれると気の弱さのために断れなくなったにちがいありません。

わしも行くとその時、突然、イチゾウが口を出しました。平生、無口で強情者だと言われているこの男が急にそんなことを言いだしたため、皆びっくりしました。するとモキチまでが、自分もその中に加わりたいと申しました。

九日。朝から霧のように細い雨が降る日でした。小屋の前の雑木林はその霧雨につつまれ、模《も》糊《こ》としています。林を彼等三人は登ってきました。モキチは少し興奮しているようでした。イチゾウは相変らず眼を細めてむっつりとしています。二人のうしろでキチジローは主人に撲《う》たれた犬のように哀しそうな眼で私たちを恨めしそうに見ていました。

「パードレ、わしらは踏絵基督ば踏まさるとです」モキチはうつむいて自分自身に言いきかせるように呟《つぶや》きました。「足ばかけんやったら、わしらだけじゃなく、村の衆みんなが同じ取調べば受けんならんごとなる。ああ、わしら、どげんしたらよかとだ」

憐憫《れんびん》の情が胸を突きあげ、思わず私はおそらくあなたたちなら決して口にしない返事を言ってしまった。かつて雲仙《うんぜん》の迫害でガブリエル師は日本人から踏絵をつきつけられた時、「それを踏むよりはこの足を切った方がましだ」と言われた話が頭をかすめました。あまたの日本人の信者とパードレが同じ気持で自分の足の前に差しだされた聖像画にむきあったことを知っていました。しかしそれをどうしてこの可哀想な三人に要求することができたでしょうか。

「踏んでもいい、踏んでもいい」

そう叫んだあと、私は自分が司祭として口に出してはならぬことを言ったことに気がつきました。ガルペが咎《とが》めるように私を見つめていました。

キチジローはまだ泪ぐんでいました。

「なんのため、こげん責苦ばデウスさまは与えられるとか。パードレ、わしらはなんにも悪いことばしとらんとに」

私たちは黙っていました。モキチとイチゾウも黙ったまま虚空の一点を見つめていました。我我はここで声をそろえて最後の祈りを彼等のために唱えました。祈りがすむと三人は山をおりて行きました。霧の中に消えていくその姿を私とガルペはいつまでも凝視していましたが、今にして思えば、これがモキチとイチゾウを見た最後だったのです。

また長い間筆をとりませんでした。トモギが役人に襲われたことは先に書いた通りですが、長崎で取調べを受けたあの三人がつつがなくじいさまと共に戻るよう、我々はどれほど祈ったことでしょう。部落の信徒たちもまた、毎夜毎夜ひそかに唱えるオラショをそれに捧《ささ》げました。この試煉が、ただ無意味に神から加えられるとは思いません。主のなし給うことは全《すべ》て善きことですからこの迫害や責苦もあとになれば、なぜ我々の運命の上に与えられたのかをはっきり理解する日がくるでしょう。だが私がこのことを書くのはあの出発の朝、キチジローがうつむいて呟いた言葉が心の中で次第に重荷になってきたからなのです。「パードレ、おらたちあ、なあんも悪かことばしとらんと」それから彼は恨めしそうな眼を私にふりむけて言ったのです。「なんのために、こげん苦しみばデウスさまはおらになさっとやろか」

聞き棄ててしまえば何でもない臆病者のこの愚痴がなぜ鋭い針のようにこの胸にこんなに痛くつきさすのか。主はなんのために、これらみじめな百姓たちに、この日本人たちに迫害や拷問という試煉をお与えになるのか。いいえ、キチジローが言いたいのはもっと別の怖ろしいことだったのです。それは神の沈黙ということ。迫害が起って今日まで二十年、この日本の黒い土地に多くの信徒の呻《うめ》きがみち、司祭の赤い血が流れ、教会の塔が崩れていくのに、神は自分にささげられた余りにもむごい犠牲を前にして、なお黙っていられる。キチジローの愚痴にはその問いがふくまれていたような気が私にはしてならない。

しかし、今は彼等がその後うけた運命だけをお知らせしましょう。奉行所に出頭した三人はその後二日間、裏手の獄舎に放っておかれ、それから漸《ようや》く彼等は役人から取調べを受けました。取調べはなぜか、ふしぎなくらい事務的な問答から始まりました。

「お前たちは切支丹が邪教であることを知っておろう」

モキチがみなを代表してうなずけば、

「その邪教をお前たちが奉じているという訴えがあったが、どうだ」

三人は、自分たちはあくまで仏教徒であり、檀那寺《だんなでら》の仏僧の教えに従っておりますと答えると今度は、

「ならば、ここで踏絵を踏んでみよ」とたたみかけてきました。御子をだいたサンタ・マリアをはめこんだ板が足もとにおかれました。踏絵を踏めと言った私の奨め通り、キチジローがまずそれに足をかけ、次にモキチとイチゾウがそれに従いました。だが、これで許されると思っていたのが間違いでした。居並んだ役人たちの頬にうす笑いがゆっくりと浮びました。彼等は三人が踏んだという結果よりその時の顔色をじっと窺《うかが》っていたのです。

「お前らは、それでお上をだましたつもりか」と役人のうちの年とった者が申しました。その年寄りは、先日、トモギ村を訪れた老武士であることがこの時、三人に始めてわかったのです。

「ただ今、お前らの息づかいが荒くなったのを見逃しておらぬぞ」

「いいえ、わしら上気ばしておりまっせん」モキチは懸命に叫びました。「切支丹じゃあなかです」

「なら、更に言う通りのことをやってみよ」この踏絵に唾をかけ、聖母は男たちに身を委してきた淫売だと言ってみよと命ぜられました。これは、やがてあとになってわかったのですが、ヴァリニャーノ師が最も危険な人物と言われたイノウエが発明した方法でした。一度はその出世のために洗礼もうけたイノウエは、日本のまずしい百姓信徒たちが、なによりもまず聖母を崇拝していることを熟知していたのです。実際、私もトモギに来てから、百姓たちが時には基督より聖母のほうを崇《あが》めているのを知って心配したくらいでした。

「唾かけぬか。言われた言葉の一つも口に出せぬか」

イチゾウは両手に踏絵をもたされ、警吏にうしろを突つかれ、懸命に唾を吐こうとして、とてもできぬ。キチジローも頭をたれたまま身動きしない。

「どうした」

役人にきびしく促されるとモキチの眼から遂に白い泪が頰を伝わりました。イチゾウも苦しそうに首をふりました。二人はこれで遂に自分たちが切支丹であることを体全部で告白してしまったのです。キチジローだけが、役人に脅され喘《あえ》ぐように聖母を冒瀆《ぼうとく》する言葉を吐きました。そして、

「唾……」

そう命じられて、彼は踏絵の上に、拭うことのできない屈辱の唾を落したのでした。

取調べが終ると牢獄《ろうごく》にモキチとイチゾウの二人は十日の間、放りっぱなしにされました。二人と言いますのは、転んだキチジローだけが追われるように牢から出され、そのまま姿をくらませてしまったからでした。もちろん、彼は今日にいたるまでここには戻ってはいませぬ。とても戻れなかったのでしょう。

梅雨がはじまりました。毎日、途絶えることなく細い雨が降ります。この梅雨はすべての表面も根も腐らせてしまうほど陰鬱なものだと始めてわかりました。部落はまるで死人のように荒涼としています。二人の運命がどうなるかは誰にもわかっていました。やがて自分たちも彼等と同じような取調べを受けるのではないかと怖れおののいて、畠仕事に出る者もほとんどありません。さむざむとした畠のむこうに海が黒かった。

二十日。役人がふたたび馬を駆って部落に布告にきました。モキチとイチゾウとは長崎の町を曝《さら》し者として引きまわされた上、このトモギの海岸で水磔《すいたく》に処せられることにきまったのです。

二十二日。部落民たちは雨ふりこめる灰色の街道の遠くから豆粒のような行列がこちらに向ってくるのを見つけました。やがて彼等の姿が次第に大きくなりました。真中に裸馬に両手をくくられたイチゾウとモキチが男たちにとり囲まれて首垂《うなだ》れていました。部落民たちは家の戸を閉じたまま外に出ることもできませせぬ。一行のあとから、途中の村から加わった見物人たちがぞろぞろとくっついてくるのです。（この行列は、私たちの小屋からも見えました）

海岸につくと、役人は男たちに命じて火をたかせ、イチゾウとモキチとの濡れた体をあたためました。それから特別の慈悲で小さな茶碗に一杯の酒を与えたそうです。その話を聞いた時、私は死のまぎわの基督に海綿にふくませた酢を飲ませようとした男の話をふと思いだしました。

十字架に組んだ二本の木が、波うちぎわに立てられました。イチゾウとモキチはそれにくくりつけられるのです。夜になり、潮がみちてくれば二人の体は顎《あご》のあたりまで海につかるでしょう。そして二人はすぐには絶命せず二日も三日もかかって肉体も心も疲れ果てて息を引きとらねばならないのです。そうした長時間の苦しみをトモギの部落民やほかの百姓たちにたっぷり見せつけることによって、彼等が二度と切支丹に近づかぬようにさせることが役人たちの狙いなのでした。モキチとイチゾウが木にくくられたのは昼すぎ。役人は四人ほど監視人を残してふたたび馬で引き揚げていきました。雨と寒さとのため、始めは海岸に群がっていた見物人たちも少しずつ戻りはじめました。

潮がみちてきました。二人の姿は動きませぬ。波が彼等の体を、足を、下半身を浸しながら、暗い浜に単調な音をたてておし寄せ、単調な音を立てて引いていきました。

夕暮、オマツが姪《めい》と監視の男に食事をもっていき、あの二人にも食べものをやっていいかとたずね、許しをえてから小舟でやっと二人に近づきました。

「モキチよ、モキチよ」

オマツがそう声をかけますと、

「はい」モキチは返事をしたそうです。今度はイチゾウ、イチゾウと申しましたが、年とったイチゾウはもうなにも答えられませぬ。しかし、彼がまだ死んでいないことは時々、首をかすかに動かすのでわかりました。

「きつかやろうね。辛抱するとよ。パードレさまもわしらもみんなオラショば祈りよるけん、二人がパライソ（天国）に行くやろうって思うとるとよ」

懸命にオマツがそう励まし、持ってきた干し芋を口に入れてやろうとしますと、モキチは首をふりました。どうせ死ぬのなら一刻も早くこの苦しみから逃れたいと思ったのでしょう。「婆さま。イチゾウさんに」とモキチは申しました。「食べさせてやってくれんね。わしはもう怺《こら》えられませぬ」

オマツと姪とは泣きながらどうしようもなく浜に戻りました。浜に戻っても彼女たちは雨にうたれたまま声をあげて泣きました。

夜がきました。監視の男たちのたく焚火《たきび》の赤い火は、我々の山小屋からもかすかにみえました。がその海岸にはトモギの部落民たちが群がり、ただ、暗い海を凝視していたのです。空も海も真黒でモキチとイチゾウがどこにいるのかもわかりませぬ。生きつづけているのか、死んだのかもわかりませぬ。みんな泣きながら心の中でオラショを唱えていました。その時、波の音にまじって彼等はモキチのものらしい声を聞いたのです。この青年は自分の人生がまだ消えていないことを部落民に知らせるためか、自分の気力を励ますためか、息たえだえに切支丹たちの唄を歌ったのです。

参ろうや、参ろうや
パライソ（天国）の寺に参ろうや
パライソの寺とは申すれど……
遠い寺とは申すれど

みんな黙ってモキチのその声をきいていました。監視の男も聞いていました。雨と波の音で、途切れ途切れてはまた聞えました。

二十三日。一日この霧雨は降り続きました。トモギの部落民はまた一団となって遠くからモキチとイチゾウの杭《くい》を見つめつづけておりました。窪《くぼ》んだ砂漠のように雨に垂れこめられた浜は荒寥《こうりょう》とひろがり、今日は近隣から見物にきた異教徒《ゼンチョ》もいません。引き潮になったあと、二人の括《くく》られた杭だけがはるかにぽつんと突ったっていました。もう杭と人間との区別もつかない。まるでモキチもイチゾウも杭にへばりついて杭そのものになってしまったようでした。ただ、彼等が生きているということは、モキチらしい暗い呻き声が聞えてくるからわかりました。

呻き声は時々、途絶えました。モキチには昨日のように自分を励ますため唄を歌う気力さえなくなったのです。途絶えては、一時間ほどたつと、また風に流れてこちら側にいる部落の者たちに伝わってくる。獣が唸《うな》るようなその声を耳にするたびに、百姓たちは体中を震わせて泣きました。午後、ふたたび潮が少しずつ張りつめ、海がその黒い冷たい色を増し、杭はその中に沈んでいくようにみえます。白く泡《あわ》だった波が時々、それを越えて浜辺に打ち寄せ、一羽の鳥がすれすれに海をかすめ、遠くに飛び去っていきました。これですべてが終ったのです。

殉教でした。しかし何という殉教でしょう。私は長い間、聖人伝に書かれたような殉教を――たとえばその人たちの魂が天に帰る時、空に栄光の光がみち、天使が喇叭《らっぱ》を吹くような赫《かがや》かしい殉教を夢みすぎました。だが、今、あなたにこうして報告している日本信徒の殉教はそのような赫かしいものではなく、こんなにみじめで、こんなに辛いものだったのです。ああ、雨は小やみなく海にふりつづく。そして、海は彼等を殺したあと、ただ不気味に押し黙っている。

夕暮、馬に乗って役人がまた来ました。その指図で監視役の男たちが湿った木ぎれを集めて杭から離したモキチとイチゾウの死体を焼きはじめました。信徒たちが殉教者の遺物を大事に持ってかえるのを防ぐためです。死体は灰にして海に投げ捨ててしまいます。彼等のたく炎が赤黒く風にゆれ、煙は砂浜を伝わって流れ、部落民は身じろぎもせず、うつろな眼でただ煙の流れをじっと見ておりました。いっさいが終ると彼等は牛のように首垂れたまま、足を引きずって戻っていきました。

今日、この手紙を書きながら、時々、小屋からあの我々を信じてくれた二人の日本人百姓の墓ともいうべき海を見おろすため外に出てみました。海はただ向うまで陰鬱に黒く拡がり、灰色の雲の下、島影もありません。

なにも変らぬ。だがあなたならこう言われるでしょう。それらの死は決して無意味ではないと。それはやがて教会の礎となる石だったのだと。そして、主は我々がそれを超えられぬような試煉は決して与え給わぬと。モキチもイチゾウも今、主のそばで、彼等に先だった多くの日本人殉教者たちと同じように永遠の至福をえているだろうと。私だってもちろんそんなことは百も承知している。していながら、今になぜ、このような悲哀に似た感情が心に残るのか。頭に、なぜ、杭につながれたモキチが息たえだえに歌ったという唄が苦しみを伴って甦《よみがえ》ってくるのか。

参ろうや、参ろうや
パライソの寺に参ろうや

私はトモギの人たちから、多くの信徒たちが刑場にひかれる時、この唄を歌ったと聞いていました。物がなしい暗い旋律にみちた節まわしの唄。この地上は日本人の彼等にとってあまりに苦しい。苦しいゆえにただパライソの寺をたよりに生きてきた百姓たち。そんな悲しさがいっぱいにこの唄にこもっているようです。

なにを言いたいのでしょう。自分でもよくわかりませぬ。ただ私にはモキチやイチゾウが主の栄光のために呻き、苦しみ、死んだ今日も、海が暗く、単調な音をたてて浜辺を噛《か》んでいることが耐えられぬのです。この海の不気味な静かさのうしろに私は神の沈黙を——神が人々の歎《なげ》きの声に腕をこまぬいたまま、黙っていられるような気がして……。

多分、これが最後の報告となるでしょう。役人たちは人数を集めいよいよ明日山狩りをすると今朝ほど我々は知らされたのです。山狩りが行われる前に小屋を元通りにし我々がかくれていた臭いをすべて消しておかねばなりますまい。小屋を棄て今夜からどこにさまようのか、まだガルペも私もきめかねているのです。長い間、私たちは議論をしました。二人でつれだって逃亡しようか、それとも別々に別れたほうがいいかと。そしてもし、どちらか異教徒たちの餌食《えじき》となったとしても、一人がまだ残っているよう別々になることを決心したのです。だが残っているということは一体何なのでしょうか。ガルペも私も、炎熱のアフリカを迂回《うかい》しインド洋を横切り澳門《マカオ》からこの国にたどりついたのは、こんな風にただ逃げかくれするためではなかった。野鼠のように山の中にかくれ、一握りの貧しい百姓たちから餌《えさ》をもらい、信徒たちに会うこともできず、じっと炭小屋の中でうずくまるためではなかった。我々は自分の夢をどこまで棄てたのか……。

しかし一人の司祭がまだこの日本に残っているということは、ちょうど、ローマのカタコンブに聖燭台《せいしょくだい》の油燈が一つだけ燃えつづけている——それだけの意味はある筈です。だからガルペも私も、たもとを分って別れたのちも、できるだけ生き続けようと誓いあいました。

だから、今後、私からの報告がもはや、途絶えたとしても（今までの報告があなたの手元に渡るかどうかもおぼつかないのですが）二人が必ずしも死んだとは思わないで下さい。この荒廃した土地にただ一つ、小さいながらも耕すべき鍬《くわ》を残さねばならぬゆえに……。

何処《どこ》までが海でどこから夜の闇かわかりませぬ。どこに島があるのか見わけもつきませぬ。ただ、うしろで舟を漕いでいる若者の息づかい、きいきいと鳴る櫂の音、舟ばたにぶつかる波の音で自分が今、海にいるのだと感じました。

一時間前にガルペと別れました。二人とも別々の小舟に乗せられてトモギを出たのですが、彼の舟は櫂の音を軋ませながら、しずかに平戸の方に去っていきました。闇の中ではその姿も見えず、さようならという暇もなかった。

一人になった時、体が意志とは関係なく震えだしました。怖ろしくないと言えばウソでした。どんなに信仰をもっていても、肉体の恐怖は意志とは関係なしに襲ってくるのです。ガルペがいた時はパンを二つにわけあうように、恐怖もわかちあったものですが、今からは一人でこの夜の海の中で、寒さと闇とをすべて背負わねばなりませぬ。（この震えを日本に来たすべての宣教師たちは感じたのだろうか。その人たちはどうしただろうか）すると、なぜかキチジローの怯《おび》えた鼠のように小さな顔が心に思い浮んできました。もし自分も司祭でなく一人の信徒だったら、長崎の代官所で踏絵に足をかけて逃げ去ったあの臆病者のことです。私をしてこの闇に進ませるのは司祭としての自尊心と義務とでした。このまま逃げだしたかもしれません。

櫂を漕いでいる若者に水をくれと声をかけましたが、返事はありません。殉教があってから、トモギ村の部落民たちはどうやら自分たちに災いをもたらす異国人を重荷に感じだしていると、だんだんわかってきました。この若者もできることなら、こうして私につきそいたくはなかったのでしょう。渇いた舌を湿すため、海水にぬれた指をしゃぶりながら、十字架上で基督が舐《な》めた酢の味のことを考えました。

舟は少しずつ向きを変え、左手から岩に波のぶつかる音がきこえてきます。波の暗い太鼓のような音は、いつか、同じように島に渡った時、聞いたおぼえがあります。ここから海は、ふかい入江になって、島の砂浜を洗っている筈です。しかし島全体は闇と真黒にまざりあって、どこが部落なのかわかりませぬ。

何人の宣教師たちが、今の自分と同じようにこうした小舟であの島に渡ったことでしょう。だが、その人たちと私とはすべての事情が違っている。彼等が日本にいた時は、何もかも運よく微笑《ほほえ》んでいた時代。至るところに安全な場所があり、やすらかに眠れる家と歓迎してくれる信徒をみつけることができたのです。領主たちは、本当の信仰からではなく、貿易の利益を得るために争ってあの人たちを保護しましたし、あの人たちもそれを利用して信徒をひろめることができたのでした。私はなぜか、急に澳門でヴァリニャーノ師が語っていた言葉を甦らせました。「あの頃は私たち宣教師は日本で絹の修道服を着るべきか、木綿の修道服を着るべきかを真剣に議論しあったものだ」

その言葉を急に思いだし、膝《ひざ》をさすりながら、私は闇にむかって小声で嗤《わら》いました。誤解しないで下さい。私はあの時代の宣教師たちを見くびったわけではなかった。ただ、舟虫が這《は》いまわる小舟の中で、トモギ村のモキチからもらったぼろ野良着をまとったこの男もやはり、あの人たちと同じように、司祭であることが急に可笑《おか》しくなったのでした。

真黒な崖《がけ》が次第に近づいてきました。浜から腐った海草の臭いが漂い、舟底を砂がひっかきはじめると、若者は、舟から飛びおり、海に足をつけて両手で舳《へさき》を押しはじめました。私も浅瀬に足をつけ、塩からい空気を深く吸いこみながらやっと浜にあがりました。

「ありがとう。部落はこの上だね」

「パードレ、わしあ……」

表情はみえなくても声で、私はこの若者がもうこれ以上、私につきそいたくないのを感じます。手をふると、ほっとしたように彼は急いで海に走りだし、舟に飛び乗る音が闇の中で鈍く聞えました。

去っていく櫂のひびきを耳にしながら、ガルペは今頃、何処にいるだろうと考えました。子供をなだめる母親のように何をこわがっているのだと自分に言いきかせ、ひんやりとした砂浜を歩きだしました。道はわかっている。ここを真直ぐに行けばいつか私を迎えてくれたあの部落に出る筈です。遠くで何かひくい唸り声がきこえました。猫の鳴き声です。しかしその時の私はもう体をやすめられるのだ、空腹を僅かでもみたしてくれる食事にありつけるのだと思いこんでいたのです。

猫のひくい唸り声は村の入口ちかくまでくると、さっきより、もっとはっきり聞えました。吐き気のするような生臭い臭気がその方向から風に流れて鼻についてきます。魚の腐ったような臭気でした。そして村に足をふみ入れた時、どの小屋も怖ろしいほど不気味に静まりかえり、誰一人としてそこにいないことに気がつきました。

廃墟《はいきょ》というより、戦いでたった今、蹂躙《じゅうりん》された部落のようでした。焼きうちにかけられてこそいませんでしたが、道にはこわれた皿や椀があちこちに散らばり、家という家は開けっ放しになり戸はすべて叩き破られていました。猫はひくく唸りながら傍若無人にそれらの空家から何かをあさましく口にくわえて歩きまわっているのです。

随分、長い間、部落の真中に立って、じっとしていました。ふしぎなことに、この時は、不安も恐怖もなかった。それよりも、頭の中でこれはどうしたのだ、これはどうしたのだという声が感情とは関係なく繰りかえしていました。

部落の端から端まで、音のしないように歩いてみました。どこから集まったのか至るところで痩《や》せこけた野良猫がさまよい、足もとを平気でくぐりぬけ地面にうずくまったまま眼を光らせてこちらを睨《にら》みつけています。渇きと空腹をおぼえ、一軒の空家に入って食べものを探しましたが、口に入れたのは結局、鉢の中に溜《た》めた水だけでした。

一日の疲れが私をその場に打ち倒しました。駱駝《らくだ》のように壁に靠《もた》れて眠りこけました。猫が体のまわりを歩きまわり、腐った干魚をみつけて動いているのを夢うつつの中で感じました。時々、眼をあけると叩き破られた戸の間から星のない真黒な夜空がみえました。

朝がたの冷気で咳《せ》きこみました。空は白み、部落の背後にある山々がこの小屋の中からもぼんやりと眼にうつります。いつまでも、ここにいては危ない。起きあがって、道に出、無人の部落を去ろう。道には昨夜と同じように、椀や皿や襤褸《ぼろ》の布が散らばっています。

何処に行けばいいのか。とにかく海に沿って自分が眼をつけられるより、山を越えたほうが安全だと思いました。どこかに、まだ一月前のこの部落と同じように信徒たちのひそかに住んでいる場所がある筈です。そこを探しあててすべての状況をきき、それから自分のなすべきことを考えたほうがいい。その時、昨夜わかれたガルペが今一体どういう運命にあっているだろうと、ふと思いました。

部落の家を一軒一軒歩きまわり、踏み場のないほど荒された中から、漸く僅かの米を探しだし、それを道におちていた襤褸に包んでから山に向いました。

最初の丘の頂まで露にぬれた泥で足をよごしながら、段々畠を登りつづける。地味のうすい土を丁寧に耕し、古い石垣で区わけした山畠は信徒たちの貧しさをはっきり感じさせます。海沿いの狭隘《きょうあい》な土地では彼等は生きることも年貢を納めることもできない。貧弱な麦と粟《あわ》に肥《こえ》の臭いが一面に漂っていました。そしてその臭気にむらがる蠅が顔のまわりをかすめながらうるさく飛んできます。ようやく明けはじめた空に向うの山々が鋭い剣のような姿をみせ、今日も白い濁った雲には鳥の群れが嗄《しわが》れた声をあげて舞っています。

丘の頂に来た時、足をとめ、眼下を見おろしました。褐色の一握りの土塊《つちくれ》のように藁屋根《わらやね》と藁屋根との集まった部落。泥と木とでねりあわせた小屋。道にも黒い浜辺にも人影はない。一本の木に靠れ、私は谷あいにたちこめる乳色の靄《もや》を眺めます。朝の海だけが綺麗《きれい》でした。海は幾つかの小さな島をその沖あいに点在させて、うす陽をうけて針のように光り、浜を嚙む波が白く泡だっていました。私はこの海をザビエル師、カブラル師、ヴァリニャーノ師を始めとする多くの宣教師たちが信徒たちにまもられながら往復したのだと思いました。平戸に来たザビエル師はきっとここを通られたことでしょう。あの高徳で日本の布教長だったトルレス師もこれらの島々を幾度となくたずねられたに違いありません。しかし彼等は、至るところで信徒たちから慕われ、歓迎をうけ、花で飾られた小さいながらも美しい会堂を持っていた。私のように当てもなく山を逃げかくれしながら歩く必要はなかった。それを考えるとなぜか知らないが、嗤いが浮んできます。

空は今日も曇っていましたが、むし暑くなりそうでした。鳥の一団は執拗《しつよう》に頭上で円を描きながら舞っていました。その暗い押しつけるような声は、立ちどまるとやみ、歩きだすと追いかけてきます。時々、その一羽が近くの木の枝にとまり羽ばたきをしながらこちらを窺っています。一、二度、私はこの呪《のろ》われた鳥に小石を投げつけました。

昼ちかく、剣のような形をした山の尾根までたどりつきました。たえず海と海岸とを見失わないように道を選び、海に部落がみつかるかを注意していました。曇った空に雨をふくんだ雲が船のようにゆっくり流れ、草原に腰をおろして部落から盗んできた米と段々畠で見つけた胡瓜《きゅうり》とをかみしめました。青くさい胡瓜の汁は少しだけ力と勇気とを与えてくれました。風は草原の端から端へながれ、眼をつぶると、その風のなかに何か焦げたような臭いがまじっているのを感じて体を起しました。

焚火《たきび》のあとでした。誰かが前にここを通り木の枝を集めて燃やしたのです。五本の指をその灰の中にいれると、まだ奥のほうにほのかな暖かみさえ残っていたのです。

長い間、引きかえすべきか、このまま歩き続けるべきか思案しました。たった一日、誰にも会うことなく無人の部落と褐色の山の中とを放浪しただけなのに、気力は既に弱っていたようです。どんな人間でもいい、それが人間であれば追いつきたいという欲望と、それがもたらす危険さとが、しばらくの間、心をくるしめ、結局、誘惑に負けてしまいました。基督でさえ、この誘惑に抗することはできなかった。なぜなら彼は山をおりて人間を求められたのだからと私は自分に言いきかせました。

焚火を燃やした男がどの方向に行ったかはすぐ推測することができます。なぜならば道は一つしかない。彼はこの尾根づたいに私が今きた方向と反対側にむかって歩いていったにちがいない。空を見あげると濁った雲のなかに白い太陽が光り、その太陽の光をうけながらさきほどとは別の鳥の群れが、嗄れた声で鳴きつづけていました。

注意ぶかく足を速めました。椎《しい》や粗樫《あらかし》や樟《くすのき》の樹々は草原のいたるところに点在していて、時々それが人間の形のように見えることがあります。そんな時、あわてて足をとめました。それに追いかけてくる鳥の声が心になにか不吉ないやな予感を与えます。気をまぎらわすため、眼にみえる樹木の種類をしらべながら歩きつづけました。子供の時から植物学が好きでしたから、この日本にきても自分の知っている樹々はすぐ見わけることができるはずでした。榎《えのき》や椋《むく》の樹、紅羊歯《べにしだ》などは、神がどの国にも与えたもうた樹木ですが、しかし、そのほかの灌木《かんぼく》は私の今日まで見たことのない種類のものでした。

午後、僅かながら空が晴れました。空は地面にのこっている水溜《みずたま》りにその碧色《あおいろ》と白い小さな雲とをうつす。私はしゃがみ、汗にぬれた首をぬらすためにその白い雲を手でかきまわす。と雲は失せ、その代りに一人の男の顔が――疲れ凹《くぼ》んだ顔がそこに浮んできました。なぜ、私はこういう時、別の男の顔を思うのか。十字架にかけられたその人の顔は幾世紀もの間、多くの画家の手で描かれつづけてきた。現実にその人を誰も見たわけではないのに画家たちは人間すべての祈りや夢をこめて、その顔をもっとも美しく、もっとも聖《きよ》らかに表わしました。おそらく彼の本当の顔は、それ以上に気高かったに違いありません。だが今、雨水にうつるのは泥と髭《ひげ》とでうすぎたなく汚れ、そして不安と疲労とですっかり歪《ゆが》んでいる追いつめられた男の顔でした。人間はそんな時、不意に笑いの衝動にかられるのだということを御存知でしょうか。水に顔をさしのべ、まるで頭のおかしな人間のように唇をまげたり、眼をむいたりして、おどけた表情を幾度も作りました。

(なぜこんな馬鹿げたことをするのだろう。なぜ、こんな馬鹿げた)

林のほうで蟬《せみ》が嗄れた声で鳴いていました。あたりは静かでした。

陽が次第に弱くなり、空はふたたび曇り、草原がかげりはじめた頃、私はさっきの焚火の男に追いつくことをあきらめていました。「われら、亡びと悪とをむさぼり、道なき荒地を歩めり」詩篇《しへん》の言葉をただ心に浮ぶがままに口ずさみながら足をひきずっていました。「陽はのぼり、陽はおち、元に戻りゆく。風は南に吹き、また北にうつり、めぐりにめぐり、その往来《いきき》を続く。川みな海に流れ入るとも、海はみちることなし、すべては今、ものうし。既に起りしことはまた起らん。既に行われしことはまた行われん」

その時、私は、ふとガルペと山にかくれていた頃、時として夜、耳にした海鳴りの音を心に甦らせました。闇のなかで聞えたあの暗い太鼓のような波の音。一晩中、意味もなく打ち寄せては引き、引いては打ち寄せたあの音。その海の波はモキチとイチゾウの死体を無感動に洗いつづけ、呑みこみ、彼等の死のあとにも同じ表情をしてあそこに拡がっている。そして神はその海と同じように黙っている。黙りつづけている。

そんなことはないのだ、と首をふりました。もし神がいなければ、人間はこの海の単調さや、その不気味な無感動を我慢することはできない筈だ。

（しかし、万一……もちろん、万一の話だが）胸のふかい一部分で別の声がその時囁《ささや》きました。（万一神がいなかったならば……）

これは怖ろしい想像でした。彼がいなかったならば、何という滑稽なことだ。もし、そうなら、杭にくくられ、波に洗われたモキチやイチゾウの人生はなんと滑稽な劇だったか。多くの海をわたり、三カ年の歳月を要してこの国にたどりついた宣教師たちはなんという滑稽な幻影を見つづけたのか。そして、今、この人影のない山中を放浪している自分は何という滑稽な行為を行っているのか。

草をむしり、それを口で懸命に嚙みしめながら、吐き気のように口もとにこみあげてくるこの想念を抑えつけました。最大の罪は神にたいする絶望だということはもちろん知っていましたが、なぜ、神は黙っておられるのか私にはわからなかった。「主は五つの町におそいかかる炎より正しき人を救いたもう」しかし不毛の地は今も煙をあげ、樹々は熟することのない実をつけている時、彼は一言でも何かを信徒たちのために語ればいいのに。

斜面を滑るように走りおりました。ゆっくり歩いていると、この不快な想念が次々と水泡のように意識の上にのぼってくるのが怖ろしかった。もしそれを肯定すれば、私の今日までのすべては、すべて打ち消されるのです。

頬に小さな雨滴を感じ、空を見あげると、今までどんよりと曇っていた空に大きな指を拡げたような黒雲がゆっくりと流れてきています。雨滴の数は少しずつ多くなり、やがて、草原いっぱいにハープの糸のような雨の幕がひろがってゆきました。小禽《ことり》の群れが放たれた矢のように、すぐ近くに黒いこんもりとした雑木林のあるのを見つけて私はそこに逃げこみました。椎の葉に雨がぶつかり、小石を屋根にちらしたような音があちこちから聞えてきました。雨はあわれな私の野良着をずぶ濡れにし、銀色の雨しぶきのなかで、樹々の梢《こずえ》が海草のようにゆれ動く。そのゆれ動く枝のずっと向うの斜面に傾いた小屋を見つけたのはこの時です。おそらく部落の者たちがここで木を切りにくるために作ったものにちがいない。

通り雨は、終りかたも急激でした。ふたたび草原はほの白くなり、小禽たちが夢からさめたように騒ぎだし、橅《ぶな》や椨《たぶのき》の葉から大きな滴《しずく》が音をたてて落ち、私は額から眼に流れる雨滴を掌でぬぐいながら、その小屋に近づきました。小屋の中に足をふみ入れた時、不快な臭気が鼻につきました。入口のすぐそばに蠅がとびまわっていました。蠅はまだ真新しい人間の排泄物《はいせつぶつ》の周りから逃げていったのです。

この排泄物から、先行者がかなり近い時間にここで休憩をとり、立ち去ったことはすぐわかりました。正直な話、私は折角の場所にこのような無礼を行った男に腹を立てながら、一方では、可笑しさに耐えられず笑いだしてしまいました。少なくともこの滑稽な物のためにこの男に抱いていた漠とした警戒心までがすっかり薄らいでしまったほどです。そしてこの固形物は彼が老人ではなく、健康な肉体の持主であることも示していました。

小屋の中に足を踏み入れると、焚火の煙がまだくすぶっていました。有難いことにはまだ小さい火種も残っていたので、しとどに濡れた野良着をゆっくりと干しました。こんなに時間をくっても、今までの速度からみると、彼に追いつくことはそんなにむつかしくないように思われたのです。

小屋を出ると草原も、さっき身をかくした林も金色の光にかがやき、樹々の葉が砂のように乾いた音をたてて鳴っています。一本の枯木を拾い、それを杖《つえ》のかわりにして歩きはじめ、やがてふたたび海岸線がはっきりと見おろせる斜面に出ました。

海は相変らず、ものうげに、針のように光りながら、弓のように彎曲した浜を嚙んでいる。海岸のある部分は、乳色の砂浜であり、また他の部分は黒い石ころのつみかさなった入江になっています。入江には小さいながらも舟着場らしいものがあり、砂浜に三、四隻の漁船が引き揚げられています。そしてその西に林にかこまれた漁村がはっきり見えました。これが今朝から私が始めて眼にした人間の集落でした。

斜面に腰をおろし、膝をかかえながら野良犬のようにあさましい眼でその部落をじっと眺めました。小屋に焚火を残していった男はひょっとするとあの部落におりていったかもしれぬ。そして自分ももしここを走り下りるならばあそこにたどりつける。しかし、果してあの部落が信徒たちのものなのか否かをたしかめるために私は十字架か、教会がないかと探していたのです。

ヴァリニャーノ師や澳門の神父たちがよく言っておられました。あの国では教会を私たちの国と同じようなものだと想像してはいけないと。この国では領主たちは宣教師に、今まで使っていた邸や寺々をそのまま教会として使うように命じたのです。ために百姓たちの中には、我々の宗教を仏教と同じ教えだと混同してくる者さえかなりあったようです。聖ザビエルでさえも、通辞の手ちがいから、始め同じような失敗をなされた。彼の話をきいた日本人は我々の主を、この国民が長い間信じていた太陽と同じものだと考えていたのです。

だから、尖塔《せんとう》をもった建物が見あたらぬだけでここに教会がないとは言えなかった。教会はあの泥と木片とを固めて作った貧しい小屋の中にあるかも知れないのです。そしてまずしい信徒たちはひょっとすると、自分たちに聖体を与え、告悔をきき、子供たちに洗礼を授ける司祭を飢えたように待っているかも知れぬ。宣教師や司祭たちがすべて追い払われたこの曠野《あらの》の中では、命の水をもたらすものは今、黄昏《たそがれ》の島で、私一人だけなのでした。泥まみれになった野良着をまとい膝をかかえているこの私だけなのでした。主よ。汝《なんじ》の作り給うたものはすべて善し。汝の住み家はかくも美しい。

烈しい感情が胸の底からつきあげ、杖で体を支えてまだ雨水の溜っている斜面を幾度か足をふみすべらしながら、私の教区に向って――そう、それは主から委《ゆだ》ねられた私の教区でした――駆けおりました。その時、なにか地鳴りのような響き、悲鳴とも号泣ともつかぬ人間の声が突然、松に囲まれた部落の端から起りました。杖で体を支え立ちどまった私の眼に赤黒い炎と煙が燃えあがるのがはっきり見えました。

何が起ったか、本能的に悟ると、身をひるがえして今、滑りおりた斜面を走り登りました。すると私の走っている斜面のむこう側をやはり灰色の野良着をまとった男が逃げていくのが眼につりました。男はこちらを見て驚いたように足をとめました。驚愕《きょうがく》と恐怖に歪んだ顔が鮮やかに私に見えました。

「パードレ」

あの男は手をふって叫びました。何かをわめきながら炎の燃えあがる部落を指さし、手で身をかくすように私に教えているのです。草原を一気に駆けのぼり、獣のようにうずくまる岩かげに体をかくし、私は肩で息を整えました。跫音《あしおと》がきこえ、あの男のよごれた、鼠のように小さな眼がむこうの岩の間からこちらを覗《のぞ》いていました。

掌に汗の流れるような感じがしたので眼をやると、血でした。ここに飛びこんだ時、どこかでぶつけたにちがいありませんでした。

「パードレ」岩かげの間で小さい眼が、じっと私を窺っていました。「あってまぁ、お久しゅう」

彼は私の機嫌をとるように卑屈な笑いをあご髭のはえた顔に浮べ、

「ここは危なかと。でも俺《おい》が見張っとります」

黙ってその顔を見つめると、キチジローは主人に叱られた犬のように、眼をそらせました。そしてそばの草をむしると口に入れ、黄色い歯で嚙みはじめ、

「あげん、燃えよるたい。ひどかなぁ」

わざと私に聞えるように一人ごち、部落を見おろしています。その姿を眺めながら私は小屋で排泄物を残していった男が彼だとやっと気がつきました。だがなんのために私と同じように山を

うろつきまわっているのか。踏絵をふんだ彼ならば、もう、役人たちから追われることはない筈です。

「パードレ、何ばしに、島に来《き》んさったとですか。こん島ももう危なか。しかし俺《おい》あ、かくれの残っとる部落ば知っとりますけん」

私はまだ沈黙をつづけていました。この男が通過した部落はそれぞれ、役人たちに襲われている。頭のなかにさっきから疑心が湧《わ》いていたのです。彼が役人の手引きをしていたのかもしれない。転んだ者たちが役人の手先にさせられることは、前から聞いていました。転んだ者は自分のみじめさと傷とを正当化するため、かつての仲間を一人でも多く自分と同じ運命に引きこもうとする。その気持は追放された天使が神の信徒を罪に誘おうとする心理にきっと似ているにちがいありません。

夕靄は既にあたりを包みはじめ、部落にかけられた火は一角だけではなく、周りの藁屋根に燃えうつり、赤黒い炎が靄のなかで、まるで生きもののように動いていました。それなのにひどく静かでした。まるで部落とそこに住む百姓たちが、黙々とこの苦しみを受けいれているかのようでした。彼等はこういう苦しみに長い長い間、馴らされてきたため、もう泣いたり、わめいたりすることさえしなかったのかもしれませぬ。

部落を見棄てて歩きだすことは、治りかかった傷の皮を剝《は》ぎとるような苦痛を私に与えました。お前は卑怯《ひきよう》であり、臆病だという声が心の片一方で聞え、もう一方では一時の興奮や感傷に駆られてはならぬと言いきかせる声を耳にしていました。お前はおそらく今、ガルペと共にこの国に存在しているただ二人きりの司祭。お前が消えてしまえば、日本から教会そのものが消えることになる。どんな屈辱や苦痛を忍んでもお前やガルペは生き残らねばならぬ。

この声が自分の弱さを意味づけるための弁解かとも考えました。だが、澳門《マカオ》で聞いた一つの話が不意に心の中で思い浮びました。それは殉教を避けて潜伏をつづけるのをやめ、大村領主の城にあらわれたフランシスコ会の一神父の話でした。彼は自分が司祭だとわざわざ名のり出たのです。この人の一時的な興奮のために、その後、他の司祭たちがいかに潜伏しにくくなり、信徒たちが巻きぞえをくったかは、皆、知っていることです。司祭は殉教するためにあるのではなく、このような迫害の時期には教会の火を消さぬため生き続けねばならぬのです。

キチジローは野良犬のように間隔をおいてついてきました。こちらが立ちどまると彼も立ちどまり、

「そげん、早う、歩かんでつかわさい。俺《おい》は体ん悪かけん」

うしろから、だらしなく足を曳《ひ》きずりながら声をかけてきました。

「どこに行きんさっとですか。いっちょん知んならんとじゃろね。御奉行所では、パードレは銀三百枚の値で……」

「わたしの値段が銀三百枚なのかね」

これがキチジローに話しかけた私の最初の言葉でしたが、その時苦い笑いが私の口もとに浮びました。ユダが主、基督《キリスト》を売った値段は銀三十枚だった。私はその十倍の値をつけられている。

「一人で行かれるっとは危なか」

彼は安心したように私と肩を並べ、木の枝でそこらの叢《くさむら》を叩きながら歩きだしました。夕闇の中で鳥たちが鳴く声がきこえます。

「パードレ、俺《おい》は、信徒の住んどる場所ば知っとります。そこはもう大丈夫ですたい。そいけん、今日は、ここで眠ってな、明日、日があけてから参りましょ」

こちらの返事を聞かずに、彼はそこにしゃがみこみ夕方の露で湿っていない枯枝を器用に集めると、袋から火打石をだして火をつけました。

「ひもじかとでしょうが」

袋から、彼は幾本かの干した魚も出しました。私は飢えた眼でその干魚を眺め、唾を飲みこみました。少しの米と胡瓜をかじっただけの身にはキチジローがちらつかすこの食糧はたまらない誘惑だった。燃えはじめた火に塩魚があぶられると、たまらなくうまそうな匂いがあたりに漂いだしました。

「食べなっせ」

歯をむきだし、私はあさましくその干した魚にむしゃぶりつきました。たった一きれの魚で私の心はもうキチジローと妥協していたのです。キチジローは満足したような、蔑《さげす》むような表情で、口を動かしている私を眺め、相変らず噛み煙草でも噛むように草を噛んでいました。

あたりは闇にとざされました。山はひえびえとして、露が体にまでおりはじめ、火の横で私は眠ったふりをしてねそべっていました。寝てはならぬ、キチジローは私が眠りに落ちたあとそっと抜け出すつもりでしょう。おそらくこの男は、仲間たちを裏切ったように私を売るにちがいない。それは今夜かもしれぬ。乞食のようなこの男には三百枚の銀はどんなにまぶしい誘惑だろうか。眼をつぶると疲れたまぶたの裏に今朝、丘や草原の上から見おろした海と島々の風景が鮮やかに浮びました。針のように光った海。その海に点在している小島。宣教師たちが祝福されてあのうつくしい海を小舟で渡った頃。この日本にも神学校がたてられ、生徒たちが我々と同じようにラテン語で唄を歌い、ハープやオルガンのような楽器まで奏して領主を感動させた時もあったのだとヴァリニャーノ師は言っておられたのです。

「パードレ、眠っとんなっとですか」

私は返事をせず、うす眼をあけてキチジローの気配を窺っていました。もし彼がそっとここから抜け出していったならば、それは役人たちを連れてくるために違いない。

私の寝息を窺いながらキチジローは少しずつ体を動かしはじめました。獣のように跫音を忍ばせながら、彼が離れていくのを、こちらはじっと見つめていると、やがて立木と叢の中でこの男が放尿する音がきこえてきました。このまま立ち去るのかと思っていたのに、ふしぎにも彼は溜息《いき》をつきながら火のそばに戻ってきたのです。灰になった枯木の中に新しい枝を放りこみ、両手をかざしたまま彼は幾度も溜息《ため》をついていました。赤黒い炎が頬肉の落ちたこの男の横顔を浮びあがらせていました。それから一日の疲れで私は眠ってしまいました。時々眼をあけるとキチジローが炎のそばに坐っているのが見えました。

翌日も、きびしい陽差しの中を歩きつづけました。昨日の雨でまだ濡れた地面からは白い水蒸気がたちのぼり、丘のむこうに雲がまぶしく光っていました。さっきから私は頭痛と咽喉《のど》の渇きにくるしんでいました。その私の苦しそうな表情に気づかぬのかキチジローは時々、ゆっくりと道を横切り叢にかくれる蛇を杖で押えつけて、汚い袋の中に入れ、

「俺《おい》たち百姓は、この長虫ば薬のかわりに食いよっとですよ」

黄色い歯をみせ、うす笑いを浮べました。なぜお前は昨夜、私を三百枚の銀のために訴えなかったのかね。そう心の中で私は訊《たず》ね、あの聖書の中で最も劇的な場面を心に甦らせました。基督が食卓でユダにむかって言われた「去れ、行きて汝のなすことをなせ」

私には――司祭になってからも――この言葉の真意がよく摑《つか》めなかったのです。この立ちのぼる水蒸気の中をキチジローと足を曳きずりながら、私はこの重要な聖句を自分に引きつけて考えていた。いかなる感情で基督は銀三十枚のために自分を売った男に去れという言葉を投げつけたのだろう。怒りと、憎しみのためか。それともこれは愛から出た言葉か。怒りならばその時、基督は世界のすべての人間の中からこの男の救いだけは除いてしまったということになる。基督の怒りの言葉をまともに受けたユダは永遠に救われることはないでしょう。そして主は一人の人間を永遠の罪に落ちるままに放っておかれたということになります。

しかし、そんな筈はない。基督はユダさえも救おうとされていたのである。でなければ彼は弟子の一人に加えられる筈はなかった。それなのにこの時になって道をふみはずした彼を基督はなぜ止められなかったか。神学生の時から私が理解できなかったのはその点でした。

いろいろな神父たちにその点を訊ねました。フェレイラ師にもたしか同じ質問をした筈です。

その時、フェレイラ師が何と答えられたか憶《おぼ》えていませぬ。憶えていない以上、私の疑問を一挙に氷解してくれるほどのものではなかったのでしょう。

「それは怒りでも憎しみでもない。嫌悪《けんお》から出た言葉だ」

「師よ。どのような嫌悪ですか。ユダのすべてにたいする嫌悪ですか。基督はその時ユダをもはや、愛されることをやめられたのですか」

「そうではない。たとえば、妻に裏切られた夫を想像するといい。彼はまだ妻を愛し続けている。しかし彼には妻が自分を裏切ったということ自体が許せないのだ。妻を愛しながら、しかし、その行為に嫌悪を感じる夫の気持……それが基督のユダにたいする心だったろう」

こうした神父たちの月並みな説明は、まだ若かった自分にはどうしても理解できなかった。いや、今だって、わからない。私の眼にはもし、冒瀆《ぼうとく》的な想像が許されるなら、ユダ自身がまるで基督の劇的な生涯と十字架上の死という栄光のために引きまわされた憐《あわ》れな傀儡《かいらい》、操り人形のような気がするのでした。

「去れ、行きて汝のなすことをなせ」私が今、キチジローにその言葉を言えぬのは、もちろん自分自身を守るためでしたが、同時に司祭として、彼が裏切りの上に裏切りを重ねてもらいたくないという希望と期待があるからでした。

「こげん道ん狭かけん、歩きづらかとでしょ」

「川はないのか」

私の咽喉の渇きはもう耐えがたくなっていました。

うす笑いをうかべ、キチジローは私をじろじろ見まわし、

「水ん欲しかとですか。あげん干魚ばべらっと食いなさったもんな」

鳥が昨日のように空に円陣をつくりながら舞っていました。空をみあげると、眼の眩《くら》むような白い光が眼を突いてきました。舌で唇を嘗《な》めながら自分の油断を後悔しました。一匹の干魚のために私はとりかえしのつかぬ失敗をしてしまった。

沼を探しましたが、むなしかった。草原のあちこちでは暑くるしい声をあげて虫が鳴き、なまぬるい風が湿った土の臭いをふくんで海の方向から吹きつけてくる。

「川はないのか、川は」

「谷川なんかもなかごたる。待ってつかわさい」

こちらの返事も聞かずキチジローは斜面を降りていきました。

姿が岩かげに消えると、あたりは急に静寂になりました。草いきれのなかで乾いた音をたてて虫が羽をすりあわせている。一匹の蜥蜴《とかげ》が不安そうに石の上に這いあがり、素早く逃げていきました。陽にさらされながら、私を窺った蜥蜴の臆病そうな顔は、今、消えていったキチジローの顔そっくりでした。

あの男は本当に私のために水を探しにいったのか。それとも私がここにいるということを誰かに密告しにいったのではないか。

杖をつきながら歩きだすと、咽喉の渇きは更にたえがたくなり、干した魚をあの男がわざと私に食べさせたのだと今、はっきり、わかりました。「やがて十字架上の基督、我渇くと言いしが、

そこに酢の満ちたる器おかれてありしに」私は思いだしました。「兵卒ら海綿を酢に浸し茎ながき草に刺してその口に差付けしかば」すると酢の味が、空想の中で口もとにこみあげて、吐き気を催し、私は眼をつぶりました。

私を探している嗄《しわが》れた声が遠くから聞え、

「パードレ、パードレ」

竹筒をぶらさげてキチジローはだらしなく足を曳きずってきました。

「なして、逃げなさったと」

動物のように目脂《めやに》の溜った眼でこの男は哀《かな》しそうに私を見おろしました。私は差しだされた竹筒をひったくり口にあてがい、もう恥も外聞もなく咽喉を鳴らしました。水は両手の間から洩れ膝をぬらしました。

「なして、逃げなさった。パードレも、俺《おい》ば信じとられん」

「気を悪くしないでほしい。疲れているのだ。しかし、もう私を一人にしてくれないか」

「一人に？　どこへ行きなさる。危なか。俺《おい》ぁ切支丹たちのかくれちょる部落ば知っとります。そこには教会《エクレジア》もありますけん。パードレもおられますたい」

「司祭《パードレ》も？」

思わず声をあげました。この島には自分以外にまだ司祭がいるとは考えられもしなかった。私は疑わしそうにキチジローを見あげました。

「はい、パードレ。日本人じゃなかとです。そげん聞きました」

「そんな筈はない」

「パードレは俺《おい》ば信じとられん」彼は立ったまま草の葉をむしって、弱々しい声で呟《つぶや》きました。

「だあいも、もう俺《おい》ば信じんとですけん」

「その代りお前は助かることができた。モキチやイチゾウはあの海の底に石のように沈められたが」

「モキチは強か。俺《おい》らが植える強か苗のごと強か。だが、弱か苗はどげん肥《こや》しばやっても育ちも悪う実も結ばん。俺のごと生れつき根性の弱か者は、パードレ、この苗のごたるとです」

私にきびしい非難をうけたと思ったらしく、彼は叩かれた犬のような眼をして後ずさりをしました。だが、私はその言葉を非難の気持ではなく、むしろ悲しい思いで呟いたのです。キチジローの言うように人間はすべて聖者や英雄とは限らない。もしこんな迫害の時代に生れ合わさなければ、どんなに多くの信徒が転んだり命を投げだしたりする必要もなく、そのまま恵まれた信仰を守りつづけることができたでしょう。彼等はただ平凡な信徒だったから、肉体の恐怖に負けてしまったのだ。

「だから、俺《おい》あ……どこにも行かれんけん、こげんに山の中をば歩きまわっとっとです。パードレ」

憐れみの気持が今、私の胸をしめつけていました。跪《ひざまず》くように言うとキチジローは言われた通りおずおずと土の上に、驢《ろ》馬《ば》のように膝をまげました。

「モキチやイチゾウのためにも告悔《コンヒサン》をする気はないかね」

人間には生れながらに二種類ある。強い者と弱い者と。聖者と平凡な人間と。英雄とそれに畏《い》怖《ふ》する者と。そして強者はこのような迫害の時代にも信仰のために炎に焼かれ、海に沈められることに耐えるだろう。だが弱者はこのキチジローのように山の中を放浪している。お前はどちらの人間なのだ。もし司祭という誇りや義務の観念がなければ私もまたキチジローと同じように踏絵を踏んだかもしれぬ。

「御あるじ、くるすにかけられ」

「御あるじ、くるすにかけられ」

「御あるじ、いばらの、かもりも、かつがせ給い」

「御あるじ、いばらの、かもりも、かつがせ給い」

まるで子供が母の言葉をまねするようにキチジローは私の呟く言葉を一つ一つ繰りかえしつづけ、白い石の上を蜥蜴がふたたび這いまわり、林の中で喘《あえ》ぐように初蟬の声が聞え、草いきれの臭いが、白い石の上を漂ってきました。そして私は、我々の今、歩いてきた方角に、数人の者の跫音をききました。叢の中から、もう彼等の姿は、こちらを向いて、足早に歩いてきました。

「パードレ。ゆるしてつかわさい」キチジローは、地面に跪いたまま泣くように叫びました。

「わしは弱か。わしはモキチやイチゾウんごたっ強か者《もん》にはなりきりまっせん」

男たちの腕が私の体を摑み、地面から立たせました。その一人が幾つかの小さな銀を、まだ跪いているキチジローの鼻先に蔑むように投げつけました。

彼等はだまったまま私を前に押しました。乾いた道を私は時々、よろめきながら歩きだしました。一度うしろをふりむくと私を裏切ったキチジローの小さな顔が遠くに見えました。蜥蜴のように怯《おび》えた眼をしたその顔が……。

V

外の陽差しはあかるいのに部落のなかは妙に暗い。彼が引かれていく間、萱葺《かやぶ》きの屋根に小石をおいた掘立小屋と小屋との間には襤褸を纏《まと》った大人や子供たちが家畜のようによく光る眼でこちらをじっと眺めていた。

その彼等を信徒だと錯覚して彼は、頬に無理矢理に微笑をつくってみせたが、一人として応えるものはいなかった。一度、素裸の子供がよちよちと一行の前に歩き出てきた。するとうしろから髪をふり乱した母親が転げるように走り出て、その子を腕にかかえ犬のように逃げ去った。体の震えと闘うため、司祭は、あの夜、オリーブの林からカルファの館《やかた》まで引かれていった人のことを懸命に考える。

部落の外に出ると、突然、まぶしい光が額にぶつかる。眩暈《めまい》を感じてたちどまる。うしろにいた男が何かを呟き、体を押してきた。無理に笑顔をつくり、少し休ませてくれと言ったが、男は、顔を強張《こわば》らせたまま首をふった。陽の光る畠《はたけ》には肥《こえ》の臭いが一面に漂い、雲雀《ひばり》が楽しそうに囀《さえず》っている。名も知らぬ大きな樹木が道に心地よさそうな陰をつくり、爽やかな音をたてて葉をならしていた。畠をつらぬく道が次第に細くなり、裏山に向うと山に入る片側の小さな窪地《くぼち》に小枝を集めて作った小屋がみえた。小屋の影がくっきり黒く、粘土色の地面に落ちている。野良着をきた四、五人の男女が手をくくられたまま地面に尻をおろして集まっていた。彼等は何かを話しあっていたが一行の中に司祭の姿をみとめると、驚きのあまり、口をあけた。

警吏たちは司祭をこの男女の横につれていくと、仕事はすんだというように笑いながら互いに雑談をかわしはじめた。みなが逃亡することを警戒している様子さえない。司祭が地面に腰をおろすと、周りにいる四、五人の男女が恭しく頭をさげた。

しばらくの間、彼は黙っていた。一匹の蠅が、額を流れてくる汗を舐《な》めようとして、しつこく顔のまわりに飛んできた。その鈍い羽音に耳を傾け、あたたかい陽を背に受けていると、彼は次第に一種の快感さえ感じはじめてくる。一方では自分が遂に捕えられたのだという事が動かしがたい事実だとは理解できても、あたりはこんなにのんびりしてまるで錯覚ではなかったのかと思える。なぜか知らぬが、彼は、今「安息日」という言葉さえ思いだしていた。警吏たちは何ごともなかったように、笑顔さえつくりながら、しゃべりあっている。陽はあかるく、窪地の叢や小枝を集めて作った小屋にあたっている。長い間、怯えと不安の入り交った空想の中で思い描いていた捕われの日が、こんなにのどかだったとは思いもしなかった。彼はそこに、言いようのない不満を——自分が多くの殉教者たちや基督《キリスト》のように、悲劇的で、英雄でないことに幻滅さえ感じた。

「パードレ」横にいた片眼の白く潰《つぶ》れた男がくくられた手を動かしながら言った。「どげんされました」

すると他の男女たちも一斉に顔をあげ露骨な好奇心を強くあらわしながら、司祭の返事を待っていた。この連中は無智な動物のように自分たちの運命をまるで知ってないようだった。司祭は山で摑《つか》まったのだと答えると、その答えがよくわからなかったらしく、男は手を耳にあてて聞きなおした。やっと意味がつかめ、

「ほう」

納得とも感動ともつかぬ溜息がみなの間に一様に洩れた。

「こげんたくみに言うたちゅうに」一人の女が司祭の日本語に感心して、子供のように叫んだ。

「うまかことよ」

警吏たちも笑っているだけで別に叱りも制止もしない。のみならず、片眼の男がいかにも狎々《なれなれ》しく、警吏の一人に呼びかけると、相手も笑顔のまま、それに答えている。

「あの人たちは」司祭は小声で女にたずねた。「何をしているのですか」

すると女は、警吏もまた、この部落民で役人の到着を待っているのだと言った。

「うちたちあ切支丹じゃが、ばってん、あん人たちは切支丹じゃなか、ゼンチョですたい」

女はまるでそんな区別は大したことでもないような口ぶりで答え、

「食べなっせ」

くくられた手首を動かしてははだけた胸の奥から小さな白瓜《しろうり》をだし、自分もその一つをかじりもう一つを司祭に渡した。嚙みしめると青くさい臭いが口中に漂う。この国に来て、自分は貧しい信徒たちに面倒ばかりかけてきたと司祭は思いながら鼠のように前歯を動かした。彼はこの人た

ちから小屋をあてがわれ、この野良着をもらい、食物を恵まれてきた。今こそ自分が彼等に何かを与えねばならなかった。しかし彼には、自分の行為と死のほかに捧《ささ》げるものを一つも持っていなかった。

「名は」

「モニカ」

この洗礼名を自分の持つただ一つの装飾品でもみせるように、女は少し恥ずかしそうに教えてくれる。魚くさい臭いを体いっぱい発散すこの女に、有名な聖アウグスチヌスの母親の名を与えたのは、どんな宣教師だったろう。

「あの人は?」

まだ警吏と何かを話しあっている片眼の男を指さすと、

「チョーキチのことか。ありゃあジュアンと呼びよります」

「洗礼《バオチーズル》を与えたパードレの名は?」

「パードレではなか。イルマンの石田さまじゃからパードレもよう知っとんなさるじゃろが」

司祭は首をふった。この国でガルペのほか、彼は一人の同僚も持っていなかった。

「知らっしゃれんとか」女は驚いたようにこちらの顔をじっとみつめて、「雲仙のお山で殺されよりました方なのに」

「みんな、平気なのか」司祭はさっきから疑問に思っていることを遂に口に出した。「やがて私たちも同じように死ぬかも知れないのに」

女は眼を伏せて、足もとの叢をじっと見つめた。蠅がふたたび、彼と女との汗の臭いを慕って、首のまわりを飛びまわりはじめた。

「わかりまっせん。あっじょん、パライソに行けば、ほんて永劫《えいごう》、安楽があると石田さまは常々、申されとりました。あそこじゃ、年貢のきびしいとり立てもなかとね。饑餓《うえ》も病の心配もなか。苦役もなか。もう働くだけ働かされて、わしら」彼女は溜息をついた。「ほんと、この世は苦患《くげん》ばかりじゃけねえ。パライソにはそげんものはなかとですかね、パードレ」

天国《パライソ》とはお前の考えているような形で存在するのではないと司祭は言おうとして、口を噤《つぐ》んだ。この百姓たちは教理を習う子供のように、天国とはきびしい税金も苦役もない別世界だと夢みているらしかった。その夢を残酷に崩す権利は誰にもなかった。

「そうだよ」眼をしばたたきながら、彼は心の中で呟いた。「あそこでは、私たちは何も奪われることはないだろう」

それから彼は、もう一つの質問を口に出した。

「フェレイラというパードレを知らないか」

女は首をふった。トモギ村と同じように、ここにもフェレイラ師は来たことはないのか。それとも、フェレイラという名は日本の信徒の間では口に出してはならぬ禁句になっているのではないのかとさえ彼は思った。

窪地の上から、大きな声がきこえる。顔をあげると崖《がけ》の上に背のひくい小肥りの年老いた侍が微笑しながら二人の百姓を従えてこちらを見おろしている。年とった侍のその微笑をみた時、司祭は、なぜかこの老人こそトモギ村を取り調べた人間だとすぐわかった。

「暑いの」侍は扇子を使いながらゆっくりと崖をおりてきた。「今からこげん暑うてはな、畠が大変じゃろが」

モニカもジュアンも、そのほかの男女も、くくられた手首を膝《ひざ》において、丁寧に礼をした。老人は横眼でみなと同じように頭をさげた司祭を見たが、しかし黙殺するように横を通りすぎていった。横を通りすぎた時、その羽織が乾いた音をたて、衣服にしみた香の匂いがあたりに漂った。

「夕立もこの所、なかとじゃ。道に埃《ほこり》がたってな。わしのような年寄りには、ここまでくるのも難儀じゃよ」

彼は囚人たちの間にしゃがみ、白い扇子でしきりに首のあたりをあおぎながら、

「なあ。こげん年寄りに、そう厄介ばかけんでくれえ」

陽の光が微笑をたたえた彼の顔を平たくして、司祭は澳門《マカオ》で見た仏像を思いだす。その仏像の顔には彼が見なれてきた基督の表情のような感情の動きはどこにもなかった。蠅だけがぶんぶん唸《うな》りながら飛びまわっていた。蠅は信徒たちの首をかすめたと思うと、老人の方に飛び、ふたたび、こちらに戻ってくる。

「お前らが憎うて、召し捕ったんじゃなか。ここん道理をな、よう、わきまえんとならんぞ。年貢も滞らさず、賦役も精だして働きおるお前らを何で憎うて縛ろうぞ。百姓は国の元とはわしらが一番よう存じとる」

蠅の羽音の中に老人が鳴らす扇子の音がまじり、遠くで鶏の鳴く声が生あたたかい風にのって

流れてくる。これが取調べなのかと司祭は皆と同じようにうつむきながら考えた。多くの信徒や宣教師は、拷問や処刑を受ける前に、みな一様にこんなやさしげな作り声を聞いたのだろうか。ねむたくなるような静けさの中で蠅の羽音を耳にしていたのだろうか。彼は恐怖が不意に襲ってくるのを待っていたが、ふしぎに恐怖はまだ心の何処《どこ》からも湧いてこなかった。拷問や死も少しの実感も伴わない。まるで雨の日に陽のあたる遠い丘を思うような気持で彼はこれからの事を考えた。

「一刻《いっとき》、お前らに思案の暇を与えるゆえな、理をわきまえて答えてくれよ」

話をやめると老人の作り笑いが消えた。すると彼の顔に澳門の中国商人たちそっくりの貪慾《どんよく》な傲慢《ごうまん》の色があらわれた。

「来てくいろ」

警吏は叢から腰をあげ一同を促した。同じように立ちあがろうとする司祭を老人は猿のように顔をしかめて見た。彼が憎悪《ぞうお》の光を眼にうかべたのはこの時が始めてだった。

「お前は」ひくい背をできるだけ伸ばし、彼は刀の柄に片手をかけて言った。「残れ」

うす笑いをうかべて司祭はふたたび叢に腰をおろした。囚人たちの前で異国人の自分に負けまいと気張っているこの老人の気持が、その雄鶏《おんどり》のようにのけぞった小さな体から、あきらかにわかる。(猿が)と彼は心の中で呟いた。(猿のような男、そう刀に手をかけて警戒しないでもいい。逃げはしないからな)

手首をくくられたまま崖をのぼり向うの台地に消えていく一同のうしろ姿を、彼は見送った。

Hoc Passionis tempore, Piis adauge gratiam 乾いた唇の中で祈りの言葉が苦い味を伴ってのぼってきた。主よ。これ以上、彼等に試煉を与えないで下さいと彼は心の中で呟いた。彼等にはそれは余りに重すぎるでしょう。今日まで彼等は耐えてきました。年貢や苦役や、惨めな生活に。それ以上、また試煉を与えるのですか。老人は竹筒を口にあてがい、鶏が水を飲むように咽喉をならしていた。

「わたしはパードレたちを幾度も見た。取り調べたこともある」彼は口を濡らしながらさきほどとは違った卑屈な声で司祭に訊《たず》ねた。「言葉がおわかりか」

太陽に少しだけ雲がかかり、窪地が陰ると、今まで聞えなかった虫が暑くるしい鳴き声をあちこちの叢の中からあげはじめた。

「百姓らは、ふうけもんじゃ。ところであの者たちを助ける助けんも、パードレ、そこもとの心次第だが……」

司祭はその言葉の意味がよくわからなかったが、この狡猾《こうかつ》な年寄りが自分を罠《わな》にかけようとしていることだけは相手の表情から感じた。

「百姓らはおのれの頭で思案する力はない。あぎゃんに談合しても、つまる所は意見もまとまらず戻ってくるであろう。そこでだ。そこもとがただ一言、言えば」

「何を申すのですか」

「転べと、な」老人は扇子を鳴らして笑った。「転べと、な」

「断れば」司祭は微笑しながら静かに答えた。「私を殺すでしょうね」

「いやいや」老人は哀《かな》しそうに、「そげんことはせんよ。そげんことをすれば、あの百姓は更に頑《かたく》なになるだけじゃ。大村でもそうじゃったし長崎でもそうじゃった。切支丹とは、せからしき者よ」

老人は大きな溜息をついてみせたが、これが芝居であるぐらいこちらにはすぐわかる。この小さな猿のような年寄りをからかうことに司祭は快感さえ感じてくる。

「そこもとが、まことのパードレならば……百姓らに慈悲の心もあろうが」

司祭は思わず口もとがほころぶのを感じた。なんという無邪気な年寄りだろう。子供のような論理で自分を言い負かせると思っている。しかし彼は子供のように単純な役人が、言い負かされると単純に激怒することを忘れていた。

「どうだな」

「私だけを罰して下さい」相手をからかうように司祭は肩をすぼめた。

老人の額にいらいらとした怒りの色が浮びはじめ、曇った遠くの空で、かすかな鈍い雷の音がきこえてきた。

「そこもとのために、あの者らがどげんに苦しむことか」

窪地の小屋の中に入れられた。むきだしの地面の上に小枝で作った壁の隙間から糸のように白い陽が流れこんでくる。壁の外では、警吏たちのしゃべる声がかすかにきこえている。あの百姓たちは何処につれ去られたのか、それっきり、もう姿をみせない。地面に腰をおろし、膝を手で組んだまま、彼はモニカという女や片眼の男のことを考えた。そしてその上にトモギのオマツやイチゾウやモキチたちが重なった。もし、もう少し余裕があれば、自分はあの信徒たちにせめてみじかい祝福だけでも与えてやれた筈である。それを思いつかなかったのはやはり心の余裕がなかった証拠だった。自分があの連中にせめて、今日が、何月の何日なのかを聞くのを忘れていたのを残念に思う。月日の観念は、次第になくなったため、復活祭《パーク》のあと、どのくらいの日数がたち今日がどの聖者の祝日なのか計算することはできなかったのである。

ロザリオがないので五本の指を利用して天使祝詞《アベ・マリア》と主禱文《パーテル・ノステル》とをラテン語で唱えはじめたが、祈りは歯をかたく閉じた病人の口から水がこぼれるように、空疎に唇をかすめただけだった。それよりも彼は小屋の外から聞える番人の話声に気をとられていた。番人たちは何が可笑《おか》しいのか、時々、声をたてて笑っている。なぜとはなく司祭は庭で火に煖《あた》っていた下僕たちの姿を想像する。エルサレムの夜、一人の男の運命に全く関心もなく暗い炎に手をかざしていた幾人かの姿。この番人たちも人間というものは、これだけ他人に無関心でいられるのだな、そう感じさせるような声で、笑ったり、しゃべったりしている。罪は、普通考えられるように、盗んだり、嘘《う》言《そ》をついたりすることではなかった。罪とは人がもう一人の人間の人生の上を通過しながら、自分がそこに残した痕跡《こんせき》を忘れることだった。Nakis と彼は指を動かしながら呟くと、その時始めて祈りが、胸の中にしみていった。

つぶった眼《ま》ぶたに突然、白い光があたった。一人の男が音のしないように、小屋の戸を開いて、小さな陰険な眼で中をじっと窺《うかが》っている。司祭が顔をあげると、相手は素早く姿をかくした。

「おとなしゅう、しとるじゃろが」

別の男が、今ここを覗《のぞ》いた番人に声をかけて、戸をあけた。光が湯のように流れこみ、その光のなかにさきほどの年とった侍とはちがい、刀はおびていない日本人の姿が浮びあがった。

「Senõr, Gracia」

男はポルトガル語で声をかけた。奇妙なたどたどしい発音だったが、それはともかくもポルトガル語にちがいなかった。

「Senõr」

「Palazera à Dios nuestro Senõr」

司祭は、戸口から眼にあたる光の中で少し眩暈を感じながら、これらの言葉を聞いていた。その言葉は所々、間違いはあっても意味ははっきりと通じた。

「驚かれておられるな、しかし、長崎や平戸には、わしと同じように通辞役の者が幾人もおる。パードレも和語に相当、通じとられるようだが。わしがどこで、この言葉を習得したかおわかりかな」

問われもしないのに、男はしゃべりつづけた。しゃべりながら、さきほどの侍と同じように扇子をしきりに掌の中で動かしている。

「神学校《セミナリオ》は、お国のパードレたちのおかげで、有馬にも天草にも大村にも建てられました。だから申してわしは転びではござらぬ。洗礼も受けるには受け申したが、もともと修道士《イルマン》になる志も切支丹になる心もとんと持ち合わせなんでな。地侍の息子が、このような時代、世に出るには、学問しかござらん」

男は懸命に、自分が切支丹ではないことを強調している。司祭は無表情のまま、暗がりの中でしゃべり続ける相手の声をきいた。

「なぜ、黙っておられる」男は怒ったように言った。「パードレたちは、いつも我々日本人を、馬鹿にしとられた。カブラルというパードレを知っとりましたが、あのお方は格別我々を蔑まれておられた。日本に来ながら、我々の家を嘲《あざけ》り、我々の言葉を嘲り、我々の食事や作法を嘲られておられた。そして私たちがセミナリオを出ても司祭となることを決して許されなんだ」

しゃべりながら彼は昔のことを思いだし、だんだん激していくようだった。この男の怒りはうそではないと司祭は膝に手をまわしたまま考えた。カブラル師のことは、澳門のヴァリニャーノ師から聞いた記憶がある。彼の日本人観のために、いかに多くの信徒が宣教師や、教会から離れていったかしれぬとヴァリニャーノ師は歎《なげ》いていたのである。

「私はカブラルとちがう」

「本当かな」男はひくい声で笑った。「わしにはそう思えぬが」

「なぜ」

暗がりの中では、この通辞の表情はわからない。わからないが司祭は相手のひくい笑い声だけから、その憎しみや怒りの裏を推測しようとしていた。教会の告悔室で信者の告白を眼をつぶったまま聞くのが彼の仕事だったからである。（この男が否定したいのは）と彼は相手を眺めなが

らぼんやり思った。（パードレ・カブラルではなく、むしろ洗礼を一度でも受けたという自分の過去だろう）

「外に出たくはないかな。パードレなら今更、逃げかくれなどなさるまい」

「さあ、どうかな」司祭は微笑して、「私は聖人ではない、死ぬのは怖《おそ》ろしい」

日本人も声をだして笑うと、

「いやいや。そのような道理を承知なら、聞きわけよく耳かたむけられたい。勇気も時には他人迷惑になる。わしら、それを盲目の勇気と申しております。いったいにパードレたちの中にはこの盲目の勇気にとりつかれて、日本国に迷惑かけることを忘れる者が多い」

「宣教師たちがそのように、迷惑ばかりかけましたか」

「もらいたくもなき品物を押しつけられるを有難迷惑と申します。切支丹の教えはこの押しつけられた有難迷惑の品によう似ておる。我等には我等の宗教がござる。今更、異国の教えを入れようとは思い申さぬ。わしも神学校《セミナリオ》にて、パードレたちのエンテンジメンを学んだが、はてさて、今更、われらに入用なるものとは一向に思いませなんだ」

「私たちは、考えが同じではないようだ」司祭は声を落して静かに言った。「でなければ、遠い海を渡ってこの国を訪れはしない」

これは彼が日本人と始めてやる討論だった。フランシスコ・ザビエル以来、このような言葉のやりとりから多くのパードレが、日本の仏教徒たちと討論をはじめたのだろうか。ヴァリニャーノ師は日本人の頭を馬鹿にしてはならぬ。彼等は論争の仕方をよく心得ていると言っていた。

「ならば伺おう」通辞は扇子を閉じたり開いたりしながら、押しつけるように言った。「切支丹たちは〝デウス〟こそ大慈大悲の源、すべての善と徳との源と申し、仏神はみな人間であるからこれらの徳義は備わっておらぬと言うておるが、パードレ殿も同じお考えかな」

「ホトケも我々と同じように死を免れますまい。創造主とは違うのです」

「仏の教えをよう知らぬパードレ殿ならば、さよう思われようが、しかし諸仏、必ずしも人間ばかりとは限っておらぬ。諸仏にはな、法身《ほっしん》、報身《ほうじん》、応化《おうげ》の三身があって応化の如来《にょらい》と申すのは衆生《じょう》を救われ、利益《りやく》を与える方便のために八相を示されるが、法身の如来は始めもなく終りもなく、永久不変の仏であられるから経にも如来常住、無有変易と説かれている。諸仏を人間とばかり思うのはパードレ殿、切支丹だけで、我々はさように考えてはおらぬよ」

日本人はまるで、この答えを暗記したもののように一気に言った。おそらく彼は今日まで、さまざまな宣教師たちを取り調べるうちにどのように相手を屈伏させるかを考えつづけたに違いなかった。だから彼は、ほとんど自分には理解できぬむつかしい言葉を選んだのだろうと司祭は思った。

「しかし、あなたたちは万物は自然に存在し世界には始めもなく終りもないと」司祭は逆襲するために相手の弱点を狙った。「そう考えているとか」

「その通り」

「しかし命のないものは他物がそれを動かすのでなければ、自分から動くことはできぬ。ホトケたちはどうして生れたのか。またそのホトケたちは慈悲の心があるのは、わかりますが、しかしその前にこの世界はどうして創られたのか。我々のデウスは自らを創り、人間を創られ、万事にその存在を与えたものだが」

「ならば、切支丹のデウスは、悪人どもをも創られた、そう申されるわけか。しからば悪もデウスのなせる業じゃ」

通辞は勝ちほこったように、小声で笑った。

「いやいや違うでしょう」司祭は思わず首をふって、「デウスは万物を善きことのために創られた。この善のために人間にも智慧《ちえ》というものを授けられた。ところが、我々はこの智慧分別とは反対のことを行う場合がある。それを悪というだけだ」

蔑むように通辞が舌うちする音がきこえた。司祭も司祭で自分の説明が相手を説得したとは思っていなかった。こうした対話は、もう対話ではなく、むしろ言葉じりを摑《とら》えて無理矢理に相手をねじふせるようなものだった。

「詭弁《きべん》を弄《ろう》されるな。百姓、女、子供ならばともかく、わしは、さような釈明に惑わされはせぬ。まあいい、今一つ設問しよう。デウスにまこと慈悲の心があらば、なにゆえ天国《パライソ》に行く道に至るまで、さまざまの苦しみやむつかしき事を与えると思わるるか」

「さまざまの苦しみ？　誤解していられるようだ。もし人間がデウスの掟《おきて》をそのまま実行するなら、平安にくらせる筈。我々が何かを食べたい時に、デウスは飢えて死ねなどとは決して命ぜられぬ。ただ創り主であるデウスを祈れ、これだけ守ればいいのです。また我々が肉の慾望《よくぼう》を捨てることができぬ時はデウスは女を遠ざけよなどと強制されはせぬ。ただ一人の女をもちデウスの意志を行えと言われるだけです」

この返事は、うまく運んだと、語り終った時、思った。小屋の暗がりの中で通辞がしばし言葉を失って黙りこんだのが、はっきり感じられた。

「もうよか。いつまでも水掛論じゃ」不機嫌に相手は日本語で、「こげん話ばしにここに参ったのではなか」

遠くで鶏が鳴いている。少し開いた戸から一条の光が流れこんでいる。光の中に無数の埃がういている。それを司祭はじっと見つめていた。通辞は長い溜息をついた。

「お前さまが転ばねばな、百姓どもが穴に吊《つ》られ申す」

相手が何を言っているのか司祭にはよくわからなかった。

「深き穴の中に五体逆さにされて百姓どもは幾日も……」

「穴に吊る?」

「さよう。パードレ殿が転ばねばな」

司祭は黙った。彼は相手の言葉が脅しか本当かをさぐるため、じっと暗がりの中で眼を光らせた。

「イノウエ殿。聞かれたことがおありかな。御奉行さまだ。いずれ、パードレ殿もこのお方に直《じき》直《じき》のお調べを受けられよう」

イ・ノ・ウ・エという言葉だけが、通辞のポルトガル語の中でまるで生きて動いているように司祭の耳に聞え、彼は体を一瞬、震わせた。

「今までこのイノウエ殿にお調べを受け、転んだパードレは」通辞はまるで奉行に追従するような声で言った。「パードレ・ポルロ。パードレ・ヘイトロ。パードレ・カッソラ。パードレ・フェレイラ」

「パードレ・フェレイラ？」

「御存知の名かな」

「いえ、知りませぬ」司祭は烈しく首を振った。「所属している会もちがう、名も聞いたこともなければ、会ったこともない。そのパードレは今、生きておられるのですか」

「生きておられるとも、名も日本人のごとく改め、長崎にて邸、女をあてがわれ、結構な御身分じゃよ」

見たことのない長崎の街が司祭のまぶたに急に浮んだ。なぜかその空想の街では、入りくんだ路《みち》、小さな家々の小窓に夕暮の陽がかあっと照りつけていた。そしてこの通辞と同じような衣服を着せられて、フェレイラ師が路を歩いていた。いやそんなことはありえない。そんな空想は滑稽だった。

「信じられぬ」

通辞はせせら笑って小屋を出ていった。戸がふたたび閉じられ、流れこんでいた白い光が突然消えた。番人たちの話声がさきほどと同じように壁ごしに聞えてくる。

「なかなか利口者《じこもん》じゃが」通辞は彼等に説明していた。「あっじょん、やがては転ぶじゃろ」

転ぶというのは自分を指しているのだと司祭は思った。膝を手でかかえながらさっき、通辞がまるで暗誦《あんしょう》でもするように口に出した四人の名を心の中で嚙《か》みしめる。パードレ・ポルロやパードレ・ヘイトロは知らなかったが、パードレ・カッソラという宣教師のことはたしかに澳門で聞いたことがある。彼とちがって、澳門からではなくエスパニヤ領のマニラから日本に潜入したポルトガル司祭の筈だ。日本に潜入して以後の消息は杳《よう》として絶えたため、イエズス会では上陸直後、華々しい殉教を遂げたものと考えていたのである。それらの三人の姿のうしろに、自分が日本に来て以来、探し求めていたフェレイラ師の顔があった。もし通辞の言葉が脅しでないならば、フェレイラ師もまた、噂《うわさ》の通り、イノウエとよぶ奉行の手によって、教会を裏切ったのである。

あの人までが転ぶようでは、とても自分にも、これから見舞ってくる試煉は耐えきれぬかもしれぬ——この不安が突然、胸をかすめた。烈しく首をふり、吐き気のようにこみあげてきたこの不愉快な想像を無理矢理に抑えつけようとしたが、しかし抑えつけようと努力すればするほどその想像は意志とは無関係に浮んでくる。

Exaudi nos, Pater omnipoténs et mittere digneris Sanctum qui custodiat fovéat protegat, visitet, taque defaendat omnes habitantes……祈りを次から次へと唱え、気をまぎらわそうとしたが、しかし祈りは心を鎮めはしない。主よ、あなたは何故《なぜ》、黙っておられるのです。あなたは何故いつも黙っておられるのですか、と彼は呟き……。

夕方、戸がふたたび開いた。番人が南瓜《ぼうぶら》を幾つか、木の椀に入れて彼の前におくと黙ったまま小屋を出ていった。口もとに持っていくと汗臭いような臭いが鼻をつく。二、三日前に煮たものであろうが、空腹は耐えがたかったから皮まで貪《むさぼ》り食った。齧《かじ》りおわらぬうちに蝿が、手のまわりを執拗《しつよう》にまわりはじめる。自分は犬と同じではないか、と司祭は指を舐めながら思った。むかし宣教師たちがこの国の領主や侍の家でしばしば食事に呼ばれた頃もあったのだ。その頃は平戸や、横瀬浦や福田の港にポルトガルの船が豊かな船荷をつんで定期的に入港したから、宣教師たちは、葡萄酒にもパンにも不自由しなかったのだとヴァリニャーノ師から聞いたことがある。おそらくあの人たちは、清潔な食卓で祈りを捧げ、そしてゆっくりと食事を味わったことだろう。それなのに自分は今、祈りも忘れ、この犬の食いものに飛びついた。祈る時は神に感謝するためではなく、助けを求めるためか不平や恨みを言うためだ。それは司祭として屈辱であり、恥だった。神は讃《ほ》めたたえられるためにあり、恨むために存在するのでないことを勿論《もちろん》、よく知っている。にもかかわらずこんな試煉の日、癩《らい》を病んだヨブのようになお、神を讃《たた》えるということは、どんなに困難なものだろうか。

戸がまた軋《きし》んで、さきほどの番人が姿をあらわした。

「パードレ、もう行かんならんぞ」

「どこ」

「舟着場じゃ」

立ちあがると、空腹のために、軽い眩暈を感じる。小屋の外は既に薄暗く窪地の樹々が、昼のむし暑さに疲れ果てたように、ぐったりとしている。蚊柱が顔をかすめ、遠くから蛙《かえる》の声がきこえた。

周りに、三人の番人たちがつきそったが、誰も、逃亡を警戒している者はいない。大声で何かを話しあい、時々、笑い声をたてている。一人が列から離れて、叢《くさむら》に放尿をはじめた。今、自分があとの二人を突きとばせば逃げられるとふと思う。思った時、前を歩いていた番人が、急にうしろを振りむいた。

「パードレ、あの小屋はやぜくらしか」彼は人の善さそうな顔をして笑った。「ほんて、暑かのう」

この人の善さそうな笑顔が急に司祭の気をそいでしまった。自分が逃げれば罰せられるのはこの百姓たちにきまっていた。彼は弱々しい微笑をつくってその百姓にうなずいた。

今朝来た道を通りすぎた。司祭は、蛙の声の拡がる畠の真中にそびえている大きな樹木をくぼんだ眼で見つめる。この樹木には見憶《みおぼ》えがある。樹には大きな鳥たちが羽ばたきながら嗄《しわが》れた声で鳴き、その声と蛙の声とが一緒になって、暗い合唱をくりひろげていた。

部落に入るとあちこちの家から白い煙が流れている。蚊柱を追い払っているのである。下帯一つの男が、子供をだきながら立っていた。彼は司祭を見ると、馬鹿のように口をあけて笑った。女たちは哀しそうに眼を伏せて四人が通りすぎるのをじっと見まもっていた。

部落をすぎると、畠が続く。道はくだり坂になり、塩からい風がやっと司祭の肉のそげ落ちた頬をなぜる。すぐ真下に港といっても黒い小石をつみかさねた舟着場が一つあるだけで、浜辺には頼りなげな小舟が二隻、引き揚げられている。番人たちが丸太をその舟の下に並べている間、司祭は、砂の中から桃色をした貝殻を拾いあげてそれを手で弄《もてあそ》んだ。それは今日一日のうち、はじめて彼が見た美しいものであった。耳に当てると貝殻の奥から、かすかな音のようなものが聞えた。不意に、彼は暗い衝動にかられた。鈍い音をたてて貝殻は掌の中でつぶれた。

「乗んなっせ」

舟底に溜《たま》った水は、埃で白くなり、ふくれあがった足にはつめたかった。足を浸したまま、両手で舟ばたを持って眼をつぶり、司祭は溜息をついた。

舟がゆっくり動きだした時、彼は今朝まで自分が放浪していた山をくぼんだ眼でぼんやり見つめた。夕靄《ゆうもや》の中、山は蒼黒《あおぐろ》く、まるで女のふくらんだ胸のような形で拡がっている。視線をふたたび砂浜に戻すと、そこに乞食のような身なりをした男が一人駆けていた。駆けながら何かを叫び、叫びながら足を砂にとられて転ぶ。自分を売った男である。

キチジローは倒れては起きあがり、大声で何かを叫んでいる。罵声《ばせい》のようにも聞え、泣き声のようにも聞えるが、何を言っているのか司祭にはわからない。彼を憎んだり恨んだりする気持はふしぎになかった。遅かれ早かれ、いずれはこう捕えられたのだという諦《あきら》めの感情が胸を支配しているのである。追いつけぬことがやっとわかったのか、キチジローは波打ちぎわで棒のように立ったままこちらを見ている。その姿が夕靄の中でだんだん小さくなっていく。

夜、どこかの入江に入った。眠っていた彼がうす眼をあけると、さきほどの番人たちはそこでおりてその代りに、別の男たちが三人、舟に乗りこんできた。濁音の多い土地言葉で番人と男たちは話しあっている。疲れ果てた彼にはもう、その日本語を聞きとろうと努力するのも嫌で、ただこの連中の会話の中に、長崎とか、大村という言葉が入るのを耳にしておそらく自分が連れていかれるのも、その長崎か大村なのであろうとぼんやりと思う。小屋にいた時は、同じように捕縛されたあの片眼の男や白瓜をくれた女の運命のために、祈る力はあったのに、今は他人のためは勿論、自分のために祈る力もない。何処へ連れていかれようが、今後、何をされようが、もう何もかも変りないような気さえしてくる。眼をつぶり彼はふたたび眠りに落ち、時々、眼をあけて、櫂《かい》の軋む単調な音をきいた。一人の男が漕《こ》ぎ、他の二人の男は陰気な表情をして黙ったまま蹲《うずくま》っていた。主よ、すべてを御心のままにという祈りを彼は寝言のように呟《つぶや》き、しかし今、自分が落ち入っている感情は、多くの聖人たちが、摂理のままに神に自分を委《ゆだ》ねようとする志と、一見、似てはいるが、本質的には違うのだと思った。本当に、こんなことでお前はどうなるのだろう。お前は少しずつ、信仰さえ喪《うしな》っているのではないかという声が、頭の奥できこえたが、今はその声を耳にするのも辛かった。

「どこ」

幾度目かに眼をさました時、彼はかすれた声で三人の新しい番人たちに訊ねたが、相手は怯《おび》えたように体を固くしたまま返事をしない。

「どこ」

もう一度、大声できくと、

「ヨコセのウラ」

一人が恥ずかしそうに小声で答える。ヨコセウラという地名はヴァリニャーノ師から幾度も聞かされていた。フロイス師やアルメイダ師たちがこの附近の領主から許しをもらって開いた港で、それまで平戸を訪れたポルトガルの船は以後、この港にだけ寄港するようになった。丘の上にはイエズス会の会堂がたち、神父たちは、その丘に大きな十字架を作った。その十字架は遠い海を幾日もかかって、やっと日本に到着した宣教師たちに、船の上からも、はっきりと見えるほど大きなものであった。復活祭の日には、日本人の住民たちも、手に手に蠟燭《ろうそく》をもって、その丘まで唄を歌いながら詣《もう》でたという。領主さえもここをたびたび訪れ、やがて洗礼を受けたのである。

司祭は舟からその横瀬浦らしい村や港をさがしたが、海も陸も、黒一色に塗りつぶされて、灯一つみえない。何処に村や家があるのかわからなかった。だが、ひょっとすると、ここにもトモギや五島の部落のように信徒たちがひそかにかくれ残っているかも知れなかった。今、海を通過していくこの小舟の中に、彼等は野良犬のように一人の司祭が震えながら蹲っているのを知っているのだろうか。司祭が番人たちに横瀬浦は何処だと聞くと、しばらく、ためらった後、櫂を漕いでいる男が答えた。

「なにもなか」

村は焼かれ、それまで住んでいた者たちはすべて追い払われたというのである。舟に波が鈍い音をたててぶつかったほかは海も陸も、死んだように黙っていた。あなたは何故、すべてを放っておかれたのですかと司祭は弱々しい声で言った。我々があなたのために作った村さえ、あなたは焼かれるまま放っておいたのか。人々が追い払われる時も、あなたは彼等に勇気を与えず、この闇のようにただ黙っておられたのですか。なぜ。そのなぜかという理由だけでも、教えて下さい。私たちはあなたが試煉のために癩病にされたヨブのように強い人間ではない。ヨブは聖者ですが、信徒たちはまずしい弱い人間にすぎないではありませぬか。試煉にも耐える限度があります。それ以上の苦しみをもうお与え下さいますな。司祭は祈ったが、海は冷たく、闇は頑《かたく》なに沈黙を守りつづけていた。ただ聞えるのは、単調にくりかえされる鈍い櫂の音だけだった。

私は駄目になるのだろうかと震えながら考えた。聖寵《せいちょう》が自分に勇気と気力とを与えてくれなければ、これ以上、もう耐えられぬかもしれぬような気がする。櫂の音がやみ、男の一人が海にむかって叫んだ。

「どこ者《もん》だぁ」

こちらの櫂はとまったのに、どこかから、同じように軋んだ音が聞えてくる。

「夜づりじゃろが、うっちょけ。うっちょけ」

今まで黙っていた二人の男のうち、年とったほうが呟いた。

「どこ者《もん》やあね、何ばしょっとか」

夜づり櫂の音がやみ、弱々しく答える声が聞えた。司祭はその声を何処かで聞いたような気がした。しかし、その弱々しい声を何処で聞いたのか思いだせなかった。

朝がた、大村に着く。乳色の靄が風に次第に追い払われると、陸地の一角に森にかこまれた城館の白い壁が疲れ果てた眼にうつる。城館はまだ建造中らしく、丸太を組んだ足場が残っていた。森の上を鳥の群れが横切って飛んでいく。そして城の背後に萱葺《かやぶ》きや藁葺《わらぶ》きの家々が、ぎっしりと並んでいる。始めて見る日本の町の姿だった。

あたりがほの白くなってから始めて気づいたのだが、舟に同乗した三人の番人はいずれも太い棍棒《こんぼう》を足もとにおいていた。もし司祭が逃亡の気配でも見せれば容赦なく海に投げこむよう命令されていたに違いない。

舟着場には既に小袖の衣服に大きな刀をさした侍たちや、見物人たちの群れがひしめきあっていた。見物人たちは、侍に叱られながら、浜辺の上にある丘にそれぞれ立ったり腰をおろしながら辛抱強く、舟が到着するのを待っていた。司祭が舟をおりると、彼等の間でざわめきが起った。侍たちにつきそわれ、男女の中を通りぬけた時、自分を辛そうな視線で見つめている幾つかの男女の顔に出会った。彼は黙り、それらの顔も黙っていた。司祭は前を通りすぎながら、小さく手を動かして祝別の徴《しるし》を与えた。するとその幾つかの顔が急に不安そうにうつむき、眼をそむけるものもあった。本来彼は今、閉ざされているその口にあの聖体の小さなパンを与える筈である。しかし今の彼にはミサをあげるカリスも葡萄酒も祭壇もなかった。

裸馬に乗せられて、手首を縄で縛られた時、群集のなかから嘲笑《ちょうしょう》が起った。大村は町といっても藁葺きの家々の集まりで、今日まで彼が見た部落とはほとんど変りはない。しかし、垂髪に小袖を着て、腰のまわりに褶《しびら》をまとった裸足《はだし》の女たちが魚介や薪や野菜を道に並べて立っていた。人々の中から水干に袴《はかま》をはいた琵琶《びわ》法師や墨染めの衣をつけた坊主《ボンズ》が彼を見上げて罵声をあびせかけた。道は細長く、彼の顔を時々、子供たちが投げる小石がかすめることもあった。もしヴァリニャーノ師の言葉が間違っていなければ、この大村は宣教師たちが一番、布教に力を注いだ地方である。多くの聖堂がたち、神学校《セミナリオ》もあり、侍や百姓に至るまでが「熱心に話に耳を傾けた」とフロイス師が手紙に書いてきた町の筈だった。領主さえも熱心な信者となり、その一族もほとんど改宗したのだと聞いている。しかし、今、子供たちが石を投げつけ、ボンズが汚い唾と一緒に罵声をあびせかけても、警護の侍たちは一向にそれをとめはしない。

街道は海に沿い、長崎に向う。鈴田という部落を過ぎた時、名の知れぬ白い花をいっぱいに咲かせた農家が一軒あった。侍たちは自分らの馬をとめ、徒歩でつき従う男の一人に命じて、水をもってこさせ、それを一度だけ司祭に飲ませた。しかし水は口から洩れて、彼の痩《や》せた胸を濡らしたにすぎなかった。

「見なっせ。体の大きかこと」

女たちは子供の袖を引きながら、彼を嘲笑した。ふたたび、のろのろと一行が進みはじめた時、彼はうしろを振りかえった。もはや、自分にはあの白い花の咲いた木を見ることはないかも知れぬという哀しさが不意に起ったのである。烏帽子《えぼし》をぬいで汗をふいている侍たちはいずれも茶筅髪《ちゃせんがみ》をゆい腿《もも》をむきだしにして馬にまたがっているし、うしろに、弓をもった五、六人の警吏たちが、がやがやと話をかわしながら続いていた。通過した街道は白く折れくねり、その街道に司祭は一人の乞食《こじき》が杖《つえ》にすがるようにして従《つ》いてくるのを見た。キチジローだった。あの浜辺で口をあけ、舟を見送っていた時のように、彼は今もだらしなく前をはだけて歩いていた。司祭がこちらを振りむいたのに気がつくと、彼はあわててそばの樹のかげにかくれた。自分を売った男がなんのためにここまで追いかけてきたのか、理解はできぬ。しかし、夜の海で、小舟をあやつっていたのも、キチジローではなかったのかという想像が不意に司祭の胸をかすめた。

馬にゆられながら彼は、時々海をくぼんだ眼でぼんやり見た。海は今日は陰気に黒く光っている。大きな島がその水平線に灰色の姿を見せていたが、それが果して昨日まで彼がさまよっていた島かどうかわからない。

鈴田を過ぎてから街道には少しずつ往きかう人の数が多くなる。荷を牛につんだ商人たち、深い藁笠をかぶり、裁着《たつつけ》、脛巾《はばき》をつけた旅人、蓑笠《みのかさ》姿の男、それに被衣《かずき》に市女笠《いちめがさ》をかぶった女たちが行列に気がつくと、驚いたように道の端に立ちどまり、異様なものにぶつかったように、放心した顔でじっと眺め続けていた。畠では、鍬《くわ》を放りだして百姓たちが、こちらに一散に駆けてくることもあった。前には関心のあった、これら日本人の服装や恰好も、もう疲れ果てた心には何の興味もひかない。彼はただ眼をつぶって、夕暮の修道院で行われる「十字架の道行き」の祈りを一つ一つ、渇いた舌を動かし呟いていた。その祈りは、聖職者や信徒ならば誰もが知っている受難の基督の苦しみを一つ一つ、心に甦《よみがえ》らす祈りである。神殿の門を出てゴルゴタに向う坂道をその人が十字架を負いながら一歩一歩、よろめきながら歩いた時、夥《おびただ》しい群集たちはそのあとを好奇心に駆られて従いてきた。エルサレムの女よ、我が身を泣くこと勿《なか》れ。己《おの》れと己が子等の身の上を泣け。日は将《まさ》に来《きた》らんとす。司祭はその聖句を憶えていた。司祭は十数世紀前にあの人もまた今の自分が感じているこの悲しみのすべてを、渇ききった舌で味わったのだと思った。その交流の感情はいかなる甘い水よりも彼の心をうるおし、ゆさぶった。

Pange lingua（いざ歌え、我が舌よ）彼は馬の上で、頰に涙が伝わり流れてくるのを感じた。Bella Premunt hostilia, Da robur, fer auxilium……私はどんなことがあっても転ばないであろう。

昼すぎ諫早《いさはや》という町をすぎた。ここには、大きな堀と築地《ついじ》の塀《へい》をめぐらした邸が藁や萱葺きの周囲の家々にかこまれて建っている。一軒の家の前に来た時、刀をさした男たちが、行列の侍に挨拶をして、大きな飯櫃《めしびつ》を二つ運んできた。強飯《こわいい》を侍たちが食べる間、司祭は始めて馬からおろされ、樹木に犬のようにつながれた。ちかくには乱髪の非人たちが、しゃがんだり、蹲ったりしながら、動物のように光る眼でじっと彼を見つめている。もう、その連中に微笑をかえす力もない。だれかが、彼の前に粟《あわ》の餉《かれいい》を破筐《やぶれかご》に入れて置いた。ぼんやりと顔をあげるとそれはキチジローだった。

キチジローは非人たちの横に同じように蹲って、時々、こちらを窺うように眼をむけている。そして視線が合うと、あわてて顔をそむける。その顔を司祭はきびしい表情で眺めた。浜辺で見た時はこの男を憎む気持も起きぬほど疲れていたが、今、この男にどうしても寛大にはなれない。草原で干魚をたべさせられたあとの咽喉《のど》の渇きが、煮えかえるような思いと一緒に突然彼の心に甦ってきた。「去れ、行きて汝《なんじ》のなすことをなせ」基督でさえ、自分を裏切ったユダにこのような憤怒《ふんぬ》の言葉を投げつけた。その言葉の意味が司祭には長い間、基督の愛とは矛盾するもののように思えてきたのだが、今、蹲って撲《う》たれた犬のような怯えた表情を時々むけている男をみると、体の奥から、黒い残酷な感情が湧《わ》いてくるのである。「去れ」と彼は心の中で罵《ののし》った。「行きて汝のなすことをなせ」

強飯を食い終った侍たちが、ふたたび馬にまたがった。司祭も馬に乗せられ一行はのろのろと進みだした。また坊主らが罵声をあびせ、子供たちが小石を放りつけてくる。荷を牛につんだ男や裁着をきた旅人たちが驚いたように侍を見あげ司祭を凝視する。何もかもがさきほどと同じだった。うしろをふりかえると、一行から離れてキチジローが杖にすがりながら従いていた。「去れ」と司祭は心の中で呟いた。「去れ」。

Ⅵ

空が翳《かげ》り、雲がゆっくりと御仙岳の頂に流れ、ひろい野に出た。千束野と呼ばれる曠野《あらの》である。灌木《かんぼく》が地を這《は》うように所々に群がり、そのほかは黒褐色の地面が何処までも拡がっているだけである。何かを相談しあった侍は、警吏たちに命じて司祭を裸馬からおろさせた。両手を縛られ、長時間、馬にまたがってきたため、地面に立った時、内腿に痛みを感じて、そこにうずくまった。長い煙管《きせる》を出して侍の一人が煙草をすっている。日本で煙草を見たのはこの時が始めてである。この侍は二、三服、口をとがらせて煙を吐くと、煙管を同僚にまわしたが、その間、警吏たちは羨《うらや》ましそうにじっと見つめていた。

長い間、一同は立ったり岩に腰をおろしながら、南の方角を眺めていた。岩かげで放尿する者もあった。北の空はまだ晴れ間があるけれども南は既に夕暮の雲が重なりはじめている。司祭は時々、自分たちが今そこから別れてきた街道に眼をやったが、何処《どこ》で遅れたのであろう、キチジローの姿はもうなかった。きっと途中で一行を追うのをやめて引きかえしたに違いない。

やがて番人たちが、来た来たと叫び、南の方角を指さした。その方角からこちらと同じように侍や徒歩の男たちの群れがゆっくり近づいてくるのが見える。煙草をすっていた侍は、すぐ馬にまたがり、その方角に全速力で馬を走らせた。馬上でたがいに頭をさげあい、挨拶をしている。司祭は自分がここで新しい一行に引き渡されることを知った。

談合がすむと大村から自分を護送してきた連中は馬首をめぐらしてまだ陽のかがやいている北の街道に去っていった。そして司祭は長崎から自分を受けとりに来た者たちにとり囲まれて、ふたたび裸馬に乗せられた。

牢屋《ろうや》は雑木林にとり囲まれた丘の斜面にあった。まだ建てられたばかりらしく新しい土蔵作りではあったが内側は縦三クワトル、間口は四クワトル、天井の高さは二クワトルほどだった。光が入るのは、小さな格子窓と、僅か皿板一枚がやっと通るぐらいの板仕切につけた小さな口で、そこから日に一度、食事が差しこまれる。ここに到着した時と、二度ほど調べ書きを取られた時、司祭は牢の外側を見たのだが、外側には、竹槍を内側にむけて並べた柵《さく》が厳重にこしらえられてあり、更にその外に番人たちの住む平たい萱葺きの家が見えた。

放りこまれた時、ほかにはまだ囚人はいなかった。一日中、あの島の小屋と同じように、暗闇の中にじっと坐り、彼は番人たちの話声を耳にしている。番人たちも時々、退屈しのぎに彼に話しかけることがある。ここが長崎の外町《そとまち》にあることは彼等に教えられてわかったが、それが街の中心からどちらに当るのかは知ることはできなかった。ただ、昼間は人足の大声や、木を削る音、釘《くぎ》をうつ音が、遠くからひびき、この附近が、新開地であることがほぼ推察できた。夜になると、雑木林の中で山鳩の声が聞えた。

にもかかわらず、この牢内には、ふしぎなほど、平和と静謐《せいひつ》とがあった。あの山中彷徨《ほうこう》の不安や焦燥は、遠い昔の話のようにさえ思われる。明日、自分がどうなるかさえ、予測できぬが、しかし、不安はほとんどなかった。番人から強い日本紙と紐《ひも》とをもらい、それでロザリオを作り、ほとんど一日中、祈るか聖句を嚙みしめるかして過した。夜は床の上に横たわったまま眼をつぶり、雑木林で鳴く山鳩の声を聞きながら眼《ま》ぶたの裏に、基督《キリスト》の生涯の一場面一場面を描いた。基督の顔は彼にとって、子供の時から自分のすべての夢や理想を託した顔である。山上で群集に説教する基督の顔、ガリラヤの湖を黄昏《たそがれ》、渡る基督の顔、その顔は拷問にあった時さえ決して美しさを失ってはいない。やわらかな、人の心の内側を見ぬく澄んだ眼がこちらをじっと見つめている。何ものも犯すことができず、何ものも侮辱することのできぬ顔。それを思うと、小波《さざなみ》が浜辺で静かに砂に吸いこまれていくように、不安も怯えも鎮まっていくような気がするのである。

日本に来てから始めて味わった静謐な毎日だった。司祭はこんな日々が続くのも、自分の死がそう遠くない証拠ではないかと思えてくる。それほどこれらの日々は静かでやさしく彼の心を流れていった。九日目になって、急に外に引き出された。長い間、光線のさしこまぬ牢獄の中にいたため陽の光がくぼんだ眼に、鋭い刃のように突きささる。雑木林から滝のように蟬《せみ》の声が聞えて番小屋のうしろに咲いている赤い花が眼にしみた。浮浪者のように髪も髭《ひげ》も伸び、尻の肉も落ち腕が針金のように細くなったのに今更のように気がついた。取調べを受けに行くのかと思ったがそのまま番人の小屋に連れられ、木の格子で囲まれた板敷の部屋に入れられた。なんのために、自分がここに移されたのか、わからない。

理由がわかったのは翌日である。急に番人たちの怒声が静けさを破り、幾人かの男女が、牢門から内庭に追い立てられる乱雑な跫音《あしおと》が聞えたからである。彼等は昨日まで彼が閉じこめられていたあの真暗な牢屋に押しこまれた。

「そげんするぎんにゃ、打《ぶ》ったくるぞ」

番人たちが声をあげ、囚人が反抗している。

「あばるんな、えっとあばるんな」

番人と囚人たちの口論がしばらくの間、続いたが、やがてそれも静まった。夕方牢屋から突然、祈りを唱和する彼等の声がきこえた。

天に御座《まし》ます我等の御おや、御名《みな》を尊《たっと》まれ給え、御代《みよ》、来《きた》りたまえ
天において、御おんたあてのままなるごとく、地においても、あらせ給え
我等が日々の御やしないを今日あたえたび給え、我等よりおいたる人に許し申すごとく
我等おい奉る事をゆるし給え、われらをてんたさんに放し給う事なかれ

夕靄の中にそれら男女の声は噴水のようにたち上り消えていく。「われらを試煉《テンタサン》に放し給うことなかれ」唱和するその声には、一種の悲哀と呻《うめ》くような調子がまじっている。くぼんだ眼をしばたたきながら司祭は自分もそれに合わせて唇を動かした。あなたはいつまでも沈黙を守られたが、あなたはいつまでも黙っていられない筈だ。

翌日、司祭は番人にあの囚人たちを訪問してもいいかとたずねた。囚人たちは見張りをつけられて中庭で畠《はたけ》を作らされていたからである。

中庭に出ると、力なく鍬を動かしていた五、六人の男女がびっくりしたようにこちらを振りむいた。彼等の姿には見憶えがあった。色あせた艦褸《ぼろ》の野良着にも記憶があった。ただこちらを振り向いた彼等の顔、光の入らぬ牢獄に閉じこめられていたためか、男たちは髭も髪ものび、女たちの顔は真白である。

「あってまあ」その中の一人の女が叫んだ。「パードレさまがなあ……知らんじゃったよ」

それはあの日、胸の間から白瓜を出してくれた女である。その横に乞食のような風態になっているが、片眼の男も黄色い乱杭歯《らんぐいば》をみせながら、人懐っこそうに笑っていた。

その日から彼は番人の許しをもらって、朝と夕方と日に二度、これら信徒たちの牢舎に出むいた。この頃はまだ、番人たちも寛大で信徒たちが決して騒ぎを起さないことを知っていた。葡萄酒とパンとがないため、ミサこそ奉《た》てられなかったが、その代り司祭は信徒たちとケレドやパーテル・ノステルやアベ・マリアの祈りを唱和し、その告悔を聞くことができた。

世界の大名、高家《こうけ》と人の子供に、頼みをかくる事勿れ。彼は扶《たす》くる力を持たざれば也。終《つい》に彼が命は亡びて土に帰るべし。其の日にのぞみて、彼等に頼みをかけし者の念々、悉《ことごと》く空《むな》しくなり、デウスを御合切《がっさい》の為《な》され手と持奉りて、それに頼みをかけ奉る人は果報いみじき也。

旧約の言葉を一つ一つ彼が囚人たちに呟く時、咳《せき》一つする者もなく一同はじっと耳を傾けている。番人も黙って聞いていた。今までは何気なく読み過してきたそれらの聖句をこの時ほど信徒のためにも自分のためにも心をこめて口に出したことはない。言葉の一つ一つは、新しい意味と重さとを持って、胸にくいこんでくる。

果報なる哉《かな》。今よりデウスのため死する者……

あなたたちはもう、これ以上、苦患《くげん》に会うことはないだろうと司祭は熱意をこめて語った。いつまでも、あなたたちを主は放っておかれはしまい。我々の傷を彼は洗い、その血をふきとってくれる手があるだろう。主はいつまでも黙っておられないのだ。

夕方になると司祭は囚人たちに告悔《コンヒサン》の秘蹟《ひせき》を与えたが、告悔室がないので、食物を受け渡す穴に耳をあて、相手が小声で囁《ささや》く告悔を聞くのだった。その間、他の者たちはできるだけ邪魔にならぬよう、隅にかたまっている。トモギ村以来、自分が聖職者としての務めを果すことができたのは、この牢獄だと思うと、ここでの生活がいつまでも続くことを彼はひそかに願った。告悔をきくと、彼は、警吏からもらった紙に、庭に落ちていた鶏の羽根を使って、上陸以来の思い出を少しずつ書きつづけている。これが果してポルトガルに届くか否かはもちろんわからない。あるいは信徒の一人がそれを何とかして、長崎の支那人に渡してくれるかもしれぬ。それだけのかすかな希望で筆を動かしたのである。

夜、闇のなかに坐りながら、司祭は雑木林でホウホウと鳴く山鳩の声を耳にしていた。その時、じっと自分に注目している基督の顔を感じた。碧《あお》い、澄んだ眼がいたわるように、こちらを見つめ、その顔は静かだが、自信にみち溢《あふ》れている顔だった。「主よ、あなたは我々をこれ以上、放ってはおかれないでしょうね」と司祭はその顔にむかって囁いた。すると、「私はお前たちを見棄てはせぬ」その答えを耳にしたような気がした。頭をふり、たしかめ、耳をすましたが、やはり山鳩の声しか聞えなかった。闇はふかく、濃かった。しかし司祭は自分の心が一瞬だが洗われたような感じだった。

ある日、番人が錠の音をたてて、顔を戸口から入れると、

「衣ば着かえてくいろ」一重ねの衣服を板の間において、「見てみろ、新しかろが、十徳《じっとく》と木綿の下着じゃ。そうさ、お前さまがものじゃ」

十徳とは仏教の坊主の着るものだと番人は彼に教えた。

「忝《かたじけ》のうございます」司祭は肉のそげおちた頰に微笑を浮べ、「しかしお取り下さい。私は何もいりませぬ」

「もらわんとか。もらわんとか」子供のように番人は首を振ったが、そのくせ、もの欲しげに衣服に眼をやって、「奉行の役人衆が下されたとじゃに」

自分の着ている帷子《かたびら》とその真新しい衣服とを見くらべ、司祭は役人衆がなぜ、自分に坊主の衣服を与えたのかと考えたが、奉行所の囚人にたいする憐《あわ》れみと受けとっていいのか、それとも別な策略と思うべきか、わからなかった。しかし、いずれにしろこの衣服によって、自分と奉行所とが今日から関係を持ちはじめるのだと思った。

「早う、早う」番人はせきたてた。「間もなく、役人衆の御到着じゃ」

こんなに早く取調べに会うとは思ってもいなかった。彼はその場面を、毎日、まるでピラトと基督のそれのように劇的に想像していたのである。群集が叫び、ピラトは迷い、基督は沈黙したまま立っていた。だがここでは一匹の油蟬がさきほどから、眠りを誘うような声で鳴いているだけだった。いつも午後はそうだが、信徒たちの牢舎もひっそりと静まりかえっていた。

番人に湯をもらい体をぬぐうと木綿の下着にゆっくりと腕を通した。布の心地よい感触はなく、その代りに、この着物を着ることによって、奉行所と妥協したような屈辱感が肌を走った。

中庭には幾つかの牀机《しょうぎ》が一列に並んでいた。牀机の一つ一つの影が黒く、地面に落ちている。入口の門にたいして右側に土下座させられ、膝《ひざ》に手をおいて長い間、待たされた。そういう姿勢になれぬ彼は膝の痛みに脂汗を流したが、苦痛の顔を役人たちに見せたくはなかった。鞭《むち》をうたれた時、基督がどういう表情をしたか彼は懸命に考えながら、膝の痛みから気をそらせた。

やがて馬と供廻りの足音がきこえると、番人たちも一様に土下座して頭をおろす。幾人かの侍が扇子を使いながら勿体《もったい》ぶった足どりで中庭に入ってきた。かれら侍たちは、何か話しあいながら、別にこちらに一瞥《いちべつ》も与えず前を通りすぎ、大儀そうにそれぞれ牀机に腰をおろした。番人が腰を低めたまま、湯呑をはこび、彼等は白湯《さゆ》をゆっくり味わった。

休息が済むと、右端の侍が番人にむかって声をかけた。そして司祭は五つの牀机の前に痛む膝でよろめきながら引き出された。

うしろの樹で、相変らず蟬が一匹鳴いている。汗が衣服と背中との間を流れ、その背中にこちらに注がれる多くの視線を痛いほど感じる。今、牢舎の中で信徒たちは自分と役人たちとの一問一答をじっと聞いているに違いない。井上と奉行所の役人たちが取調べの場所としてわざとここを選んだ理由もはっきりとわかる。自分が追いつめられ説得されていく姿をあの百姓たちに見せつけるためなのである。Gloria Patri et Fillio et Spiritui Sancto くぼんだ眼をつぶり、頰に微笑を浮べようと努力したが、顔はかえって面《マスク》のように硬直するのが自分でもよくわかった。

「筑後守《ちくごのかみ》様は、パードレの不自由を懸念されておられるゆえ」と右端の侍が懸命にポルトガル語で言った。「不自由あれば申し出るように」

司祭は黙ったまま頭をさげた。顔をあげると、五つの牀机のうち真中に腰かけている年寄りと視線が合った。その年寄りは、珍しい玩具《おもちゃ》を与えられた幼児のように好奇心とやさしい笑いをうかべて自分を見ていた。

「国籍はホルトガル。名はロドリゴ。澳門《マカオ》より我が国に渡ったというが、間違いないな」

既に二度ほど別の役人が通辞を伴ってここに訪れ、調べた調べ書きを改めると右端の侍は感動した面持で、

「パードレが万里の外に使いとして、険阻《けんそ》艱難《かんなん》をへてここに来られる志の堅さに我々とていたく心を動かされる。さぞ、今日まで辛かったことであろうな」

相手の言葉に優しさがあり、その優しさが司祭の胸に痛いほど染みた。

「我々とて、それを知るゆえに、職務とは申せこうして取り調べるのは心苦しい」

思いがけぬ役人の言葉に、張りつめていた心が、突然崩れる。もし自分たちが国籍や政治という制約さえ持っていないならば手を握りあって話しあえるのではないか、そんな感傷にさえふと、

かられる。そのくせすぐそうした感情に傾いた自分を、危ないと思った。

「パードレの宗旨、そのものの正邪をあげつろうておるのではない。エスパニャの国、ホルトガル国、その他諸々《もろもろ》の国には、パードレの宗旨はたしかに正とすべきであろうが、我々が切支丹を禁制にしたのは重々、勘考の結果、その教えが今の日本国には無益《むやく》と思うたからである」

通辞はすぐ議論の本題に入ってきた。正面にいる耳の大きな老人は、相変らずパードレをいたわるように見おろしていた。

「正というものは、我々の考えでは、普遍なのです」司祭はその老人のほうにやっと微笑をかえしながら、「さきほど、お役人衆は、我が苦労にいたわりの言葉を下さいました。万里の波濤《はとう》をこえ、長い歳月かかって、御国に参ったことに暖かい慰めを下さった。だがしかし、もし正が普遍でないという気持があれば、どうしてこの苦しみに多くの宣教師たちが耐えられたでしょう。正はいかなる国、いかなる時代にも通ずるものだから正と申します。ポルトガルで正しい教えは、また、日本国にも正しいのでなければ正とは申せません」

通辞は、所々、つかえたが人形のように無表情のまま今の言葉を他の四人に伝えた。

正面の老人だけが、まるで司祭の言葉に同意したように幾度もうなずいてくれた。うなずきながら、左の手でもう一方の掌をもむようにゆっくりさすりはじめている。

「パードレたちは悉く同じことを言う。だが」別の侍の言葉を通辞はゆっくり訳した。「ある土地では稔《みの》る樹も、土地が変れば枯れることがある。切支丹とよぶ樹は異国においては、葉も茂り花も咲こうが、我が日本国では葉は萎《な》え、つぼみ一つつけまい。土の違い、水の違いをパードレは考えたことはあるまい」

「葉は萎え、つぼみがつかぬ筈はありません」司祭は、相手に向って声をあげた。「私が何も知らぬと思っておられますか。しかし私の滞在しました澳門は勿論、エウロパにも、この国にまいりました宣教師たちの働きは手に取るごとく、わかっていました。多くの領主たちが布教をお許しになった時には日本国の信徒は三十万を数えたと聞きましたが……」

老人は相変らず幾度もうなずきながら、しきりに手をもんでいる。他の役人たちが、顔を強張《こわば》らせて通辞の言葉を聞いているのに、この人だけが、まるで司祭の味方のようだった。

「もし葉が茂らず、花も咲かぬなら、それは肥料を与えない時でしょう」

さきほどまで鳴いていた蟬の声はやんだが午後の光は更にきびしくなっている。役人たちは当惑したように黙っている。司祭は背後の牢舎で信徒たちがこちらに聞き耳をたてているのを感じ、自分は議論に勝っていると思った。快感がゆっくりと胸の中に浮びあがった。

「どうしてそんな説得を始めるのです」司祭は眼を伏せて静かに言った。「あなたたちはこちらが何を申し上げても意見をお変えにならないでしょう。私だって自分の気持を改めようとは思わない」

しゃべりながら急に感情が興奮してくるのを感じた。背後から信徒たちに見られていることを意識すればするほど、彼は自分を英雄にしていった。

「結局、何を申しても私は罰せられるのでしょう」

通辞はその言葉を機械的に上司たちに伝えた。陽の光が平たいその顔を余計に平たく見せる。

この時はじめて老人の動いていた手が止り、まるで悪戯《いたずら》な孫をなだめるような眼差《まなざ》しで首を大きくふった。

「我々は理由もなくパードレたちを罰することは致さぬ」

「それはイノウエさまのお考えではありますまい。イノウエさまなら即座に刑罰を与えられるでしょう」

と、役人たちは冗談でも言われたように声をたてて笑った。

「どうしてお笑いになる」

「パードレ。その井上筑後守様は、そこもとの眼の前におられる」

茫然として、彼は老人を見つめた。老人は子供のように無邪気にこちらを眺めて手をもんでいる。これほど、自分の想像を裏切った相手を知らなかった。ヴァリニャーノ師が悪魔とよび次々と宣教師たちを転ばせた男を彼は今日まで青白い陰険な顔をした男のように考えてきた。しかし眼の前には、ものわかり良さそうな温和な人物が腰かけていた。

隣の侍に二言、三言、何か囁くと、井上筑後守は、牀机から不自由な恰好で立ちあがった。他の役人たちもそれぞれその背後に従い、彼等はさきほどそこから出てきた門に姿を消した。

蟬が鳴きだした。雲母のようにきらきらと光る午後の光が、もう誰もいない牀机の影を更に強く地面に落した。すると理由もなく司祭の胸から熱いものがこみあげ、眼《ま》ぶたに泪《なみだ》のにじむのを感じた。それは何か大任をやりとげたあとの感情に似ていた。今まで静かだった牢舎から、突然、だれかが唄を歌いはじめた。

参ろうや、参ろうや
パライソの寺に参ろうや
パライソの寺とは申すれど
遠い寺とは申すれど……

彼が番人につれられ板の間に戻されたあとも、唄は長い間、続いている。少なくとも自分はあの信徒たちの心を迷わせたり、彼等の信仰をくじけさせることはしなかった。自分はみにくい卑《ひ》怯《きよう》な態度をとらなかったと彼は考えた。

格子から洩れる月の光と壁に作られた影とが司祭にまたあの人の顔を思いださせる。その顔はうつむいてこちらを覗《のぞ》きこんでいるみたいだ。そのぼんやりとした顔に、司祭は輪廓《りんかく》を与え、目や口をつけてみる。私は今日、立派にやりましたと、司祭は子供のように得意がってみせる。拍子木の音が中庭できこえた。警吏がこの牢屋の周りをああやって、毎夜、まわるのである。

三日目。番人は信徒のうち男たちだけを選んで中庭に三つの穴を掘らせた。陽光の照りつける中で片眼の男（あれはたしかジュアンと言った）が他の者たちと鍬をふるい籠に泥を入れて運んでいる姿が格子ごしに見える。暑さのため下帯一つになったジュアンの背中が汗で鉄のように光っていた。

何のために穴を掘るのかと番人に訊《たず》ねると、厠《かわや》をつくるという返事だった。ふかく掘られた穴に信徒たちが入って、無心に泥を上に運んでくる。

穴掘りの途中で一人の男が、日射病で倒れた。番人たちは怒鳴ったり、叩いたりしたが、病人はうずくまったまま身を動かすことさえしない。ジュアンやその他の信徒たちが抱きかかえて、牢舎につれていった。

やがて、番人が司祭を呼びにきた。倒れた男の容態が急変したので信徒たちがパードレを求めているというのである。牢舎に走って行くと、ジュアンやモニカたちにとりかこまれて病人は暗がりの中で、灰色の石のように横たわっていた。

「飲みなっせ」

モニカが欠けた茶碗に入れた水をその口もとに運んでやるが、水は口もとを少し濡らすだけで咽喉に流れこまない。

「辛かろのう。こげん体のもつもんかねえ」

夜になって病人の息が小刻みになり始めた。一日、粟の団子だけで衰弱した体にやはり作業は無理だったのである。司祭は跪《ひざまず》き、臨終の時与える終油の秘蹟の準備をしたが、十字を切った時、男ははじめて大きく胸をふくらませた。それが最後だった。番人は信徒たちに命じて、死体を焼こうとしたが、司祭と信徒たちは、それは切支丹の教えと違うと頑強に拒絶した。切支丹の間では土葬が習わしだからである。男は翌朝、そのまま、牢舎の裏の雑木林に埋められた。

「久五郎は果報もんじゃの」と信徒の一人が羨ましそうに呟いた。「もう何の苦患《くげん》ものう、いつまでも、眠るっとじゃ」

すると他の男女たちはうつろな眼でその言葉を聞いていた。

午後、むし暑い空気が次第にゆれ動いたかと思うと雨が降りはじめた。雨はその午後、彼等が死人を埋めた雑木林にも牢舎の板屋根にも単調でもの憂げな音をたてる。司祭は膝を両手でかかえながら役人たちがいつまで自分をこうした生活に放っておくのかと思う。この牢獄では万事が行き届いているというわけではないが、番人たちは、騒ぎさえ起さねば、信徒たちが祈りを唱えることも、司祭が彼等を訪問することも手紙を書くことも黙認していた。なんのためにこんな寛大さが許されているのか、ふしぎなくらいだった。

窓の格子から彼は蓑を着た一人の男が番人にしきりに怒鳴られているのを見た。蓑を着ているため、誰だかわからないが、牢舎にいる連中ではないことは確かである。何かを哀願し、番人たちは首をふり追い払おうとするが、言うことを聞かぬらしい。しかし、

「そげんするぎんにゃ打《ぶ》ったくってふんだくっぞ」

番人が棒を振りあげると野良犬のように門の方に逃げはじめ、また中庭に戻って雨の中にじっと立っている。

夕暮になる頃、ふたたび格子から覗くと、蓑姿の男はまだ辛抱強く、雨にぬれたまま動かない。番人たちも諦めたのか、もう小屋から出ていかない。

男がこちらを向いた時、視線と視線とが合った。やはりキチジローだった。怯えたような表情

で彼は司祭の方を眺め、二、三歩あとずさりして、

「パードレ」彼は犬が鳴くような声を出して言った。「パードレ、聞いてつかわさい。告悔《コンヒサン》と思うてな、聞いてつかわさい」

司祭は窓から顔を離し、その声に耳をふさぐ。干魚の味とそしてあの時の咽喉の焼けつくような渇きとを彼は忘れることはできない。心では、この男を許そうとしても、恨みと怒りとは記憶から消えてはおらぬ。

「パードレよオ。パードレよオ」

まるで母親にまつわりつく幼児のように、哀願の声が続いて、

「俺《おい》あ、パードレばずうっとだましたくりました。聞いてくれんとですか。パードレがもし俺《おい》ば蔑《みこな》されましたけん……俺《おい》あ、パードレも門徒衆も憎たらしゅう思うとりました。俺《おい》あ、踏絵ば踏みましたとも。モキチやイチゾウは強か。俺《おい》あ、あげん強うなれまっせんもん」

番人がたまりかねて棒を持ったまま外に出ていくと、キチジローは逃げながら叫びつづけた。

「じゃが、俺《おい》にゃあ俺《おい》の言い分があっと。踏絵ば踏んだ者《もん》には、踏んだ者《もん》の言い分があっと。踏絵をば俺《おい》が悦んで踏んだとでも思っとっとか。踏んだこの足は痛か。痛かよオ。俺《おい》を弱か者に生れさせおきながら、強か者の真似ばせろとデウスさまは仰せ出される。それは無理無法と言うもんじゃい」

怒鳴り声は時々途切れ途切れては、哀訴の声に変り、哀訴の声は泣き声となり、

「パードレ。なあ、俺《おい》のような弱虫あ、どげんしたら良かとでしょうか。金が欲しゅうしてあの

時、パードレを訴人したじゃあなか。俺《おい》あ、ただ役人衆におどかされたけん……」

「でていかんか。早う、でていけ」番人たちが小屋から首を出して叫んでいる。「えっと、甘ゆんなよ」

「パードレ、聞いてつかわさい。悪うござりました。仕様んなかことば致しました。番人衆。俺《おい》は切支丹じゃ。牢にぶちこんでくれんや」

司祭は眼をつぶり、ケレドの祈りを唱える。今、雨の中で泣きわめいている男を放っておくことには、やはり一種の快感があった。基督は祈りは唱えてもユダが血の畠で首を吊《つ》った時、ユダのために祈られただろうか。聖書にはそんなことは書いてなかったし、たとえ書いてあったとしても今の自分には素直にそんな気持にはなれそうもなかった。どこまでこんな男を信じてよいのかわからない。あの男は許しを求めているが、それも一時の興奮で叫んでいるのだと思いたかった。

少しずつキチジローの声は静かになり、消えていく。格子から覗くと、腹をたてた番人がこの男の背中を烈しく押しながら、牢屋につれていくのが見えた。

夜になって雨がやみ、一握りの粟飯と塩魚が出た。魚は既に腐って食べられたものではない。いつものように、信徒たちの祈り声が聞えてきた。番人の許しをもらって牢屋をたずねていくと、キチジローは皆からずっと離れた小さな場所に押しこめられていた。信徒たちのほうでキチジローと一緒にされることを拒んだのである。

「あの男に気をつけなされよ」信徒たちは司祭に小声で教えた。「役人衆は転び者ば使うてな、我等をだましたくりよっかも知れんですけん」

奉行所では転宗者を信徒たちの中にそれとなく入れ、巧みに動きを探らせたり、背教を奨めさせたりするのだ。キチジローがまた金をもらって、そんな仕事を与えられたのかどうかはわからぬ。しかしあの男を今更信頼することは司祭には、まだとてもできそうもなかった。

「パードレよオ」彼がここに来たことを知って、キチジローはまた暗がりの中で、「告悔《コンヒサン》ば、お願い申します。信心戻しの告悔《コンヒサン》をお願い申します」

信心戻しとは一度転んだ者がもう一度、信仰に立ち戻ることを指す。その声をきくと信徒たちは嘲笑して、

「言いたか、ふんだい言いよったい。なんしぎゃ、ここに来たとか。ふうけ者《もん》が」

しかし、司祭には告悔の秘蹟を拒絶する権利はどこにもなかった。秘蹟は求められれば自分の感情によってそれを承諾したり拒んだりできるものではなかった。気の進まぬ思いで彼はキチジローの場所まで近づいていった。手をあげて祝福の徴《しるし》を与え、義務的に祈りを呟き、耳を近づける。臭い息が顔にかかった時、彼はこの男の黄色い歯や狡《ずる》そうな眼を闇の中で心に浮べる。

「聞いてつかわさい、パードレ」キチジローは信徒たちに聞えるような声でわめいた。「この俺《おい》は転び者だとも。だとて一昔前に生れあわせていたならば、善《よ》かあ切支丹としてハライソに参ったかも知れん。こげんに転び者よと信徒衆に蔑《みこな》されずすんだでありましょうに。禁制の時に生れあわされたばっかりに……恨めしか。俺《おい》は恨めしか」

「あなたを、まだ信じられない」司祭はキチジローの臭い息を我慢しながら呟いた。「許しの秘

蹟は与えるけれども、私はあなたを信じたわけではない。今更なぜ、ここに戻ってきたのかそのわけも私にはわからない」

大きな溜息《ためいき》をつき弁解の言葉を探しながらキチジローは体を動かす。垢《あか》と汗くさい臭気が漂ってくる。人間のうちで最もうす汚いこんな人間まで基督は探し求められたのだろうかと司祭はふと考えた。悪人にはまた悪人の強さや美しさがある。しかし、このキチジローは悪人にも価しないのだ。襤褸のようにうす汚いだけである。不快感を抑え、司祭は告悔の最後の祈りを唱えると習慣に従って、「安らかに行け」と呟いた。それから一刻も早くこの口臭や体の臭気から逃れるため、信徒たちのほうに戻っていった。

いいや、主は襤褸のようにうす汚い人間しか探し求められなかった。床に横になりながら司祭はそう思った。聖書のなかに出てくる人間たちのうち基督が探し歩いたのはカファルナウムの長血を患った女や、人々に石を投げられた娼婦のように魅力もなく、美しくもない存在だった。魅力のあるもの、美しいものに心ひかれるなら、それは誰だってできることだった。そんなものは愛ではなかった。色あせて、襤褸のようになった人間と人生を棄てぬことが愛だった。司祭はそれを理窟《りくつ》では知っていたが、しかしまだキチジローを許すことはできなかった。ふたたび基督の顔が自分に近づき、うるんだ、やさしい眼でじっとこちらを見つめた時、司祭は今日の自分を恥じた。

踏絵が始まった。市《いち》に出された驢馬《ろば》のように信徒たちは、一列に並ばされた。この間の役人衆たちではなく、若い下役たちが腕を組んで牀机に腰をかけている。番人たちが棒を持って見張りをしている。蟬は今日もすがすがしい声で鳴き、空は碧く澄みわたり、まだ空気は爽やかだった。まもなくいつものようにけだるい暑さがくるだろう。中庭に引きだされないのは司祭だけで、格子に肉の落ちた顔を押しあてて彼は、今から始まる踏絵の光景をじっと見つめていた。

「早うすませば、早うここから出られるとじゃ。心より、踏めとは言うとらぬ。こげんものはただ形だけのことゆえ、足かけ申したとてお前らの信心に傷はつくまい」

役人は、さきほどから踏絵がたんなる形式だと信徒たちに繰りかえし教えていた。ただ、踏みさえすればそれでいい。踏んだとて、心底の信仰がどうなるのでもない。そこまでこちらも探るつもりはない。奉行所の命令に従って、踏絵に軽く足をのせれば、即刻、ここから放免してやると言うのである。四人の男女たちは、感情のない顔でその話を聞いていた。格子に顔を押しあてている司祭にもこの連中が一体何を考えているのかわからなかった。自分と同じように頰骨が突き出て一日中光らしい光にあたらぬため蒼黒くむくんだ四つの顔は、まるで意志のない人形のようである。

いよいよ来るものが来たのだということはわかったが、やがて自分や信徒たちの運命がきまるのだという実感がどうしても起きぬ。役人たちはまるで何かを頼むように信徒たちに物を言っている。百姓たちが首をふれば、この間の奉行たち一行のように苦い表情で引き揚げていくだろう。

腰をかがめながら、番人が布で包んだ踏絵を牀机と百姓たちの間において、また元の位置に戻

ると、

「生月島《いきつきじま》、久保浦、藤兵衛」

帳面をめくりながら役人の一人が、名前を呼んだ。四人は、まだぼんやりと坐っている。番人があわてて、左端の男の肩を叩くと、男は手をふって動かない。棒で二、三度、背中を押されても体をのめらせたまま、土下座させられた場所から離れようとしない。

「久保浦、長吉」

片眼の男は、まるで子供のように首を二、三度ふった。

「久保浦、春」

司祭に瓜《うり》を呉《く》れた女は、背をまるめ、首垂《うなだ》れていたが、首垂れたまま、番人に押されても、顔さえあげようとしない。亦市《またいち》とよぶ最後に呼ばれた年寄りも、地面にしがみついたままである。

役人は別に怒声もあげねば、罵りもしなかった。はじめからこの事態を察していたように牀机に腰かけたまま、互いに何かを小声で話しあい、それから急に立ちあがって番小屋に引き揚げていく。陽が牢舎の真上から、直射日光を残された四人にあてている。土下座した四人の影が黒く地面にうつり、蟬がまた、その光った空気を裂くように鳴きはじめる。

信徒たちと番人とは何か笑いながら話しあいはじめた。さっきまで取調べ側だった者と取り調べられた者という感じはもう何処にもなかった。役人の一人が小屋から、片眼の長吉以外の者は牢屋に戻ってよいと言う。

司祭はつかまっていた格子から手を離し、板の間に腰をおろした。これから、どうなるかわからない。わからないが今日一日だけはどうやら平穏にすんだという安心感が胸いっぱいに拡がってくる。今日一日が平穏にすめばそれでよい。明日のことは、また明日、生きればいい。

「そりば捨つとはあったらかのう」

「ごうぎい惜しかよ」

何を話しているのか知らないが番人と片眼の男との、のんびりした会話が風に流れて聞えてくる。一匹の蠅《はえ》が、格子から飛びこんできて、ねむけを誘う羽音をたてながら司祭の周りを廻りはじめる。突然誰かが中庭を走った。ずっしりと重く、鈍い音が響いた。司祭が格子にしがみついた時は、処刑を終った役人が、鋭く光った刀をおさめる時だった。片眼の男の死体は地面にうつ伏せに倒れていた。その足を引きずって、番人が、信徒たちに掘らせた穴にゆっくりと引っ張っていく。すると黒い血がどこまでもその死体から帯のように流れていった。

突然、高い女の叫び声が、牢屋から起った。叫び声はまるで唄でも歌っているように続いた。それが消えるとあたりはひどく静寂で、ただ格子にしがみついた司祭の手が痙攣《けいれん》したように震えていた。

「よう思案せえよ」別の役人が、こちらに背をむけ牢屋にむかって言っている。「命ば粗末にしてどうなるぞ。くどいようじゃが、早うすませば早うここから出られるとじゃ。今更、心より踏めとは申さぬ。ただ形の上で足かけ申したとて信心に傷はつくまいに」

叫び声がして番人がキチジローをつれ出してきた。下帯一つのこの男はよろめきながら役人の前までくると、頭を幾度もさげ、瘦《や》せた足をあげて踏絵を踏んだ。

「早う行け」
役人は不機嫌な表情をし、門を指さし、キチジローは転げるように姿を消した。司祭のいる小屋には一度もふり向きもしなかった。キチジローのことなど、司祭にはもうどうでもよかった。

むきだしの中庭に白い光が容赦なく照りつけている。真昼の白い光の中で地面に黒い染みがはっきり残っていた。片眼の男の死体から流れた血である。

さっきと同じように、蟬が乾いた音をたて鳴きつづけている。風はない。さっきと同じように一匹の蠅が自分の顔の周りを鈍い羽音で廻っている。外界は少しも違っていなかった。一人の人間が死んだというのに何も変らなかった。

（こんなことが）司祭は格子を握りしめたまま、動転していた。（こんなことが……）

彼が混乱しているのは突然起った事件のことではなかった。理解できないのは、この中庭の静かさと蟬の声、蠅の羽音だった。一人の人間が死んだというのに、外界はまるでそんなことがなかったように、先程と同じ営みを続けている。こんな馬鹿なことはない。これが殉教というのか。なぜ、あなたは黙っている。あなたは今、あの片眼の百姓が——あなたのために——死んだということを知っておられる筈だ。なのに何故《なぜ》、こんな静かさを続ける。この真昼の静かさ。蠅の音。愚劣でむごたらしいこととまるで無関係のように、あなたはそっぽを向く。それが……耐えられない。

キリエ・エレイソン（主よ、憐れみ給え）漸《よう》く《や》唇を震わせて祈りの言葉を呟こうとしたが、祈りは舌から消えていった。主よ、これ以上、私を放っておかないでくれ。これ以上、不可解なままに放っておかないでくれ。これが祈りか。祈りというものはあなたを讃美《さんび》するためにあると、長いこと信じてきたが、あなたに語りかける時、それは、まるで呪詛《じゅそ》のためのようだ。嗤《わら》いが急にこみあげてくるのを感じる。自分がやがて殺される日、外界は今と全く同じように無関係に流れていくのか。自分が殺されたあとも蟬は鳴き蠅は眠たげな羽音をたてて飛んでいくか。それほどまで英雄になりたいか。お前が望んでいるのは、本当のひそかな殉教ではなく、虚栄のための死なのか。信徒たちに讃《ほ》めたたえられ、祈られ、あのパードレは聖者だったと言われたいためなのか。

彼は、膝をかかえたまましばらく、床の上でじっとしていた。「時は殆ど十二時なりしが、三時に至るまで地下、遍《あまね》く暗闇となり」あの人が十字架の上で死んだ時刻、神殿からは、一つは長く、一つは短く、また短く、三つの喇叭《らっぱ》の音がひびいた。過越《すぎこし》の祭を用意する儀式が始まったのである。大司祭長は青の長袍《ちょうほう》を着て神殿の階段を登り、犠牲の祭壇の前では長笛が吹き鳴らされた。その時、空は翳り、太陽は雲の裏側に消えた。「日暗みて、神殿の幕、中より裂けたり」これが、長い間考えてきた殉教のイメージだった。しかし、現実に見た百姓の殉教は、あの連中の住んでいる小屋、あの連中のまとっている襤褸と同じように、みすぼらしく、あわれだった。

Ⅶ

二度目に井上筑後守と会ったのは、それから五日たった夕方である。日中は動かなかった空気が崩れ、樹々の葉がやっと夕風に爽やかな音をたてて鳴りだした時、彼は番人たちの詰所で筑後守と対坐させられた。通辞のほかには、奉行は誰も連れてはこなかった。司祭が番人と一緒に詰所に入った時、この奉行は、両手で大きな碗をかかえて、白湯《さゆ》をゆっくりのんでいた。

「久しゅう御無沙汰をしたな」茶碗を持ったまま、好奇心のこもった大きな眼で司祭を見つめながら、「所用あって平戸まで赴いておったゆえ」

奉行は通辞に命じて、白湯を司祭のために運ばせると微笑を頰に浮べたまま、自分の赴いた平戸の話をゆっくりとしはじめた。

「平戸には折あらばパードレも一度、訪《ゆ》かれるがよいな」

まるで司祭の自由をすべて認めていると言うような口ぶりである。

「松浦殿の城下町だが、穏やかな入江に面した山がある」

「美しい町だと、澳門《マカオ》の宣教師たちに聞いたことがございます」

「さして美しいとは思わぬが、面白い町ではある」筑後守は首をふった。「あの町を見ると、むかし耳にした話を思いだす。平戸の松浦隆信侯には四人の側室がおられたが、この側室たちが、たがいに妬《ねた》みあい、争いがたえぬ。隆信公、遂にこらえかねて四人が四人とも城より追放され給うた。いや、生涯、不犯《ふぼん》のパードレにこのような話は禁物であったな」

「その殿様は大層賢いことをなさいました」

うちとけた筑後守の話しぶりに、司祭もつい張りつめていた気をゆるすと、

「本気で、そう思われるかな。それで安心した。平戸は、いや、我が日本は、ちょうど、この松浦殿のようなものだ」

茶碗を両手でまわしながら、筑後守は笑った。

「エスパニヤ、ホルトガル、オランダ、エゲレスとそれぞれ名のる女たちが、日本と申す男の耳に、夜伽《よとぎ》のたび、たがいの悪口を吹きこみ申してな」

奉行が、何を言おうとしているのか、通辞の通訳を聞きながら、司祭にも次第にわかってくる。井上は決して嘘《うそ》言をのべているのではないことも彼は知っていた。日本をめぐって新教国のイギリスとオランダとが、旧教国エスパニヤとポルトガルの進出を好まず、しばしば幕府や日本人たちに讒言《ざんげん》をしていることは、ゴアや澳門でも前からよく知られている事だったからである。そして宣教師たちも対抗上、日本人信徒が英人やオランダ人に接触することを厳禁した時代もあったのだ。

「松浦侯の処置を賢いと思わるるなら、パードレは、日本が切支丹を禁制にした理由をあながち愚かとは思われまい」

　血色のいい肥った顔から笑いを消さず、奉行は司祭の顔をじっと覗きこむ。その眼は日本人には珍しいほど茶がかっているし、鬢《びん》も染めてあるのか白髪一本みえない。

「我々の教会では一夫一妻を教えておりますゆえ」司祭もわざと冗談めかした答えを選んで、「正室があるならば、側室の女性を追われるのは賢いことでございましょう。日本も四人の女たちのなかから、正室を一人、選ばれては如何《いかが》でしょうか」

「その正室とは、ホルトガルの国を指されるのかな」

「いいえ、我々の教会のことです」

　通辞が無表情のまま、この返事を伝えると筑後守の表情がくずれ、声をたてて笑った。笑い声は老人にしては高かったが、こちらを見おろしている眼には感情がなかった。眼は笑ってはいなかった。

「だがな、パードレ。日本と申す男は、わざわざ、異国の女性《にょしょう》を選ばずとも、同じ国に生れ、気心知れた日本の女と結ぶのが最上と思われぬか」

　司祭にはもちろんこの異国の女性という言葉で井上筑後守が何を指しているのか、すぐ理解できた。だが相手がこうした何気ない世間話を装いながら議論をしかけてくる以上、こちらもそれに従わねばならなかった。

「教会では、女の生れた国籍よりもその女の、夫にたいする真心をどうやら第一と考えます」

「そうかな。だが情のみで夫婦の道が成りたつならば、浮世の苦しみもあるまいに。俗に醜女《しこめ》の深情けと申して」

奉行は自分で、この比喩《ひゆ》に満足したらしく大きくうなずきながら、

「醜女の深情けにほとほと困《こう》じ果てる男も世間にはあるものだ」

「信仰の布教を、奉行さまは強制的な情愛の押し売りとおとりになられておられます」

「我々にとってはな。それに醜女の深情けと申す言葉が気に障られるならば、こう考えてもよい。子を生みそれを育てられぬ女は、この国では不生女《うまずめ》と申して、まず嫁たる資格なしとされておる」

「教えがこの日本で、育《はぐく》まれぬとしたら、それは教会のせいではありますまい。むしろ女である教会と夫である信徒を引き裂こうとされた方々のせいだと思いますが」

通辞は言葉を探しながら、しばらく黙っていた。いつもならば、信徒たちの牢舎から夕《ゆうべ》の祈りが流れてくる時である。しかし、今は何も聞えない。ふと五日前の静寂が——この静寂とは一見、同じようだが本当は全く違っていた——司祭の心に甦《よみがえ》った。片眼の男の死体が光の白く照りつける地面にうつ伏せに倒れ、番人が片足を無造作に穴まで引きずっていった。その穴まで血潮が、まるで一刷毛《ひとはけ》、線を描いたように地面に長く続いていた。あの処刑を命じたのはこの柔和な顔をした男だとは司祭にはどうしても思われない。

「パードレは、いや、今日までのパードレたちは」筑後守は一語一語、区切って言った。「どうやら、日本を存ぜぬ、ようだな」

「御奉行様も、基督教を御存知ありますまい」

司祭と筑後守は同時に笑いあった。

「だが、三十年前、蒲生《がもう》家の臣であった時、余もパードレたちに道を乞うたことがあった」

「それで」

「余が今、切支丹の禁制を命ずるのは、世間一般の考えとは同じではない。余は切支丹を邪宗とは、つゆ、考えたことはない」

通辞が驚いたような表情でその言葉を聞き、やっとためらった後、通訳をするまで、彼は白湯の少し残った茶碗を笑いながら見ていた。

「パードレ。これからしばらくの間、この年寄りが申した二つのことを、よう考えられるがよい。一人の男に醜女の深情けは耐えがたい重荷であり、不生女は嫁入る資格なしとな」

奉行が立ちあがると、通辞は両手を前に重ねて恭しく頭をさげた。あわてて番人がそろえた草履をゆっくりとはき、筑後守はもうこちらをふり向きもせず、夕闇のおちた中庭に去っていった。小屋の戸口に蚊柱がたっている。馬がいななく声が外できこえた。

夜、雨が静かに降りはじめた。雨は小屋の裏手にある雑木林に砂のような音をたてた。

司祭は固い床に頭を押しつけて、この雨の音を聞きながら、自分と同じように裁きを受けた日のあの人のことを考えた。痩せこけたあの人が、すりむけた顔を強張らせながら人々に追いたてられエルサレムの坂をおりていったのは四月七日の朝である。黎明《しののめ》の光が死海の向うに拡がるモアブ山脈を白っぽく染め、セドロンの河が爽やかな音をたてて流れていた。誰も彼を休ませようとはしない。ダビデの坂からクシスッスの広場を横切ると、チロペオン橋の傍の会議所の建物が、そこだけ朝の光を受けて、金色に大きく浮びあがった。

長老や律法学者たちは、すぐ死刑の判決を下していたから、あとはその判決をローマから派遣された総督のピラトに承認してもらえばいいのである。街の外廓、神殿《モスク》とちょうど隣りあわせに立つ軍営では知らせをうけたピラトが自分たちを待っている筈だった。

四月七日の決定的なこの朝の情景を司祭は、幼い時からすべて暗記している。あの痩せた人は司祭にとってすべての規範だった。あの人だって、すべての犠牲者たちと同じように悲哀と諦《あきら》めとにみちた眼で、彼を罵り唾《つばき》をかける群集たちをただ恨めしそうに見つめていたのだと思う。だが群集の中にはユダもまた、まじっていたのだ。

ユダはなぜこの時も、あの人のあとを従《つ》いていったのだろう。自分が売った男の最後を見届けようとする復讐《ふくしゅう》の快感からか。とにかく何もかもがふしぎなくらい、そっくりだ。基督がユダに売られたように、自分もキチジローに売られ、基督と同じように自分も今、地上の権力者から裁かれようとしている。あの人と自分とが相似た運命を分ちあっているという感覚はこの雨の夜、うずくような悦びで司祭の胸をしめつける。それは基督教徒たちが味わえる神の子との連帯の悦びだった。

そのくせ、他方では、まだ基督が味わったような肉体の苦痛を知らないことを思うと不安だった。ピラトの館《やかた》であの人は二尺あまりの責め柱にくくりつけられ、鉛のついた革鞭《かわむち》で打たれ、手に釘を打ちつけられたのである。しかし自分はこの牢屋《ろうや》に捕えられてから、ふしぎに役人にも番人にも撲《ぶ》たれたことさえない。それが筑後守の指図なのか、そうでないのかわからないし、これからもこのまま一度も殴られもせずに毎日が過ぎていくような気がしないでもない。

なぜだろう。この国で捕えられた数多くの宣教師たちがどういう凄《すさ》まじい拷問や責苦を受けたかは、彼も幾度か聞かされてきている。島原で生きたまま火であぶられたナバロ師、雲仙の煮えたぎる熱湯の中に幾度も幾度も五体をつけられたカルヴァリオ神父や、ガブリエル神父、大村の牢で飢え死するまで放擲《ほうてき》されたあまたの宣教師たち。それなのに自分はともかくもこの牢舎のなかで、祈ることも信徒たちと話しあうことも許されている。粗末ではあるが食事も日に一度は与えられる。そして役人たちも、奉行も自分をきびしく訊問《じんもん》することはない。ほとんど形式的に雑談をして帰っていくだけである。

(彼等は一体どういうつもりだろう)

自分たちがもし、拷問を受ければ果して耐えられるだろうかと、トモギの山小屋で同僚のガルペと幾度か話しあったのを司祭は思いだした。もちろん主の助力を必死に求めるより仕方がないことだが、あの時は自分にも、死ぬまで頑張れるような気持が心のどこかにあったのだ。山中を放浪している時だって、捕縛されれば、必ず肉体的な体刑をうけることは覚悟していた。張りつめていた感情のせいか、どんな苦しみにも歯を食いしばろうと思っていた。

だが今、この覚悟の一角がどこか弱まってきたような気がする。床から起きあがり首をふりながら、いつから勇気が崩れてきたのかと考える。(それは、ここの生活のせいだろうか)心の何処かで突然、誰かが教えた。(ここの生活はお前にとって一番、たのしいからな)

そうだ。日本に来て以来、自分はこの牢舎以外の場所で司祭として義務を果したことはほとんどなかった。トモギでは、役人におびえかくれ、それ以後はキチジローのほか百姓たちと接触することはなかった。ここに来て始めて、彼は百姓たちと生活し、飢えることもなく、一日の大半を祈ったり黙想することができたのである。

砂のように静かに流れていく、ここでの毎日。鉄鋼のように張った気持が少しずつ腐蝕《ふしょく》していく。あれほど逃れられぬもののように待ち構えていた拷問や肉体的な苦痛も自分にはもう加えられないような気がするのだ。役人や番人は寛大で、肉づきのいい顔をした奉行はたのしそうに平戸の話をする。一度、このぬるま湯のような安易さを味わった以上、ふたたび以前のように山中を放浪したり、山小屋に身をひそめるには二重の覚悟がいるだろう。

日本の役人や奉行がほとんど何もせず、蜘蛛《くも》が巣に餌《え》のかかるようにじっと待っていたものは、自分のこうした気のゆるみだったのだと司祭はその時始めて気がついた。彼は筑後守の作り笑いや老人らしく手をこすりあわす動作をその時不意に思いだした。ああした身ぶりを奉行がなんのためにやっていたのか、彼には、はっきりと理解できたのである。

その想像を裏づけるように、翌日から昨日まで一度だった食事が二度与えられるようになった。何も知らぬ番人は、人の善さそうに歯ぐきをみせて笑いながら、

「食べなっせ。奉行さまの御指図じゃ、こげん扱いは滅多になかとばい」

司祭は木の椀にもられた強飯《こわいい》や干魚を見ながら首をふり、信徒たちに与えてくれと番人に頼んだ。蝿がもうその強飯の上を飛びまわっている。夕方になると番人は筵《むしろ》を二枚持ってきた。

こうした待遇の改善の次に、役人たちが何をやろうとしているか、司祭に少しずつわかってきた。待遇が良くなったということはとりもなおさず拷問を加えられる日が近くなったことを意味

しているように思えた。安易になれた肉体はそれだけ苦痛に弱い。役人たちは、自分の身心が少しずつゆるむのをこうした陰険な手段で待ちかまえ、それから突然、拷問を加えてくるに違いなかった。

（穴吊《あなづ》り……）

島で捕われた日に、あの通辞から聞いた言葉が記憶に残っている。もしフェレイラ師が転んだとしたならば、それは自分と同じように、始めは鄭重《ていちょう》に扱われ、肉体と心とを充分、油断させられた直後に突如、その拷問を受けたにちがいない。でなければ、あの有徳の師がこれほど即座に棄教するなどとはとても思えなかった。何という狡猾《こうかつ》な方法だろう。

「日本人は私たちの知る限り最も賢明な人々で」聖ザビエルが書いた言葉を司祭は思いだし、彼は皮肉な顔をして笑った。

追加された食事も断り、夜の筵も使ってはいないことは当然、番人の口を通して役人や奉行に報告されたに違いなかろうが、別に咎《とが》めもなかった。彼等が計画を見破られたことに気づいたかどうかはもちろんこちらにはわからぬ。

筑後守が来てから十日ほどたった朝、中庭で起ったさわがしい音で眼をさました。格子窓に顔をあてると、三人の信徒が、侍に促されて、牢舎から外に連れだされていくところだった。朝靄《あさもや》の中で番人たちが三人の手首を数珠つなぎにして引きだした。いつか白瓜を自分にくれた女は一番うしろにくくられている。

「パードレさま」司祭の閉じこめられている番小屋の前を通りすぎる時、彼等は声をそろえて叫んだ。「わしら、公役《くやく》にてございます」

格子から手を出して、司祭はその一人一人に祝福の十字をきった。少し悲しそうに微笑をうかべ、子供のようにモニカが差し出した額に、司祭の指がほんの少し触れた。

一日中、しずかな日だったが、昼前から温度は次第にあがり、強い陽が格子から容赦なく流れこんできた。番人に、あの三人の信徒たちはいつ帰るのかと聞くと、公役さえ終れば夕刻までに戻るだろうと答えた。長崎は今、筑後守の命令で方々に寺社を建てているので、人夫はいくらあっても足りないのである。

「今宵は盂蘭盆《うらぼん》じゃ。パードレは知らんじゃろばってん」

番人の話によると、今夜は仏教の盂蘭盆で、長崎の民家は燈籠《とうろう》を軒先につけて灯をともすのだと言うのである。西洋でも万霊節《トウサン》というものがあって同じことをするのだと司祭は番人に教えた。

遠くで子供たちの歌う声がきこえる。耳をすますと、

提燈《ちょうちん》や、バイバイバイ、石投げたもんな、手の腐る

提燈や、バイバイバイ、石投げたもんな、手の腐る

子供たちの途切れ途切れの唄はどこか哀調をおびていた。

夕暮、あの百日紅《さるすべり》の樹にまたつくつく法師がとまって鳴きはじめた。その声も凪のなごころにはとまったが、三人の信徒たちは、まだ戻ってこない。油燈の下で晩飯をすます頃、また子供た

ちの歌声が、かすかに聞える。夜半、月はあかるく窓から流れ、その光で眼がさめた。祭はもう終ったらしく、闇はふかく、信徒たちがもう帰ってきたのかどうかわからない。

翌朝暗いうちに、番人に起された。衣服をつけて、すぐに外に出ろと言う。

「さあ」

どこに行くのかと訊ねると、首をふって、自分にもわからぬがこんな早い時刻を選んだのは、道々、異国の切支丹司祭を見て、好奇心のつよい群集が群がるのを防ぐためだろうと答えた。

三人の侍が、彼を待っていた。彼等もただ、奉行の御指図だと説明したきり、前後にならんで黙って朝の道を歩きはじめた。朝霧のなか、藁《わらぶ》葺きや萱《かやぶ》葺きの商家が、戸を閉ざしたまま陰気な老人のように押しだまって並んでいる。道の両側に畠《はたけ》があり、材木が積みかさねてある。普請中の材木の匂いが霧の匂いにまじって香ってくる。長崎の街はまだ街づくりの最中なのである。真新しい築地《ついじ》のかげには乞食《こじき》や非人たちが筵をかぶって眠っていた。

「始めてかの、長崎あ」

侍の一人が司祭に笑いかけて、

「坂ん多かろうが」

本当に坂が多かった。小さな萱葺き民家がおい重なった坂もあった。鶏が朝の刻《とき》をつげ、昨夜の盂蘭盆の名残りか、軒下には色あせた提燈が力なくころがっている。坂の真下には、葦《あし》の葉の茂った海が長い半島にかこまれて、乳色の湖のように遠くまでつづいている。霧の晴れてきた背後にはあまり高くない丘が幾つか並んでいる。

海のちかくに松林があった。松林の前に籠がおかれ、裸足《はだし》の侍たちが四、五人、しゃがみながら、何かを食っていた。彼等は口を動かしながら、好奇心のこもった眼で、司祭をじっと見つめていた。

白い幕が林の中に既にはりめぐらされ、牀机《しょうぎ》が並べられていた。侍の一人がその牀机を指さして、司祭に坐るように言う。取調べを受けるためと思いこんでいた司祭にとってはこの待遇はいささか、意外だった。

灰色の砂がなだらかに拡がり入江に続き、空は曇っているので海は鈍い褐色を帯びている。浜を嚙《か》む単調な音は司祭に、モキチとイチゾウの死を思い起させる。あの日、海には絶え間なく霧雨が降り、その雨の中を海鳥が杭《くい》のそばまで飛んでいた。くたびれたように海は黙り、神もまた沈黙を守りつづけていたのだ。幾度か心を不意に横切ったこの疑惑に、自分はまだ答えることができなかった。

「パードレ」

うしろで声がした。ふりむくと、長い髪を首にたらし、四角い顔の男が扇子を掌で弄《もてあそ》びながら笑っていた。

「ああ」

顔からよりも声から司祭はこの男が、島の小屋で自分を訊問した通辞であることを思いだした。

「憶《おぼ》えておられるか。あれからどれほど日数がたったことかな。何というても再会したはめでたい。今、パードレのおる牢舎は新普請ゆえ居心地は悪うあるまい。あれが建つまでは、切支丹のパードレたちは、ほとんど大村の鈴田牢にあずかりおかれたものだが、これは雨の日には雨が漏り、風の日には風吹きこみ、囚人たちも難渋した場所じゃった」

「奉行は間もなく、ここに来られるのですか」

相手の饒舌《じょうぜつ》をとめるため、司祭が話題をそらすと、相手は扇子を掌の中で音たてながら、

「いやいや筑後守様には、お出でにはなるまい。いかが思われた、あの御奉行を」

「御親切に扱って頂きました。食も日に二度与えられ、夜は夜着まで頂き、自分の体がその生活のために、心を裏切りはせぬかと思います。もっともそれをあなた様たちは待っているのでしょう」

通辞はとぼけて眼をそらしたが、

「実は今日、奉行所の御指図でな、パードレに是非対面させたき人物が間もなくここに到着する。同じホルトガルの者ゆえ、語りあうことも多かろうて」

司祭が通辞の黄色く濁った眼をじっと見つめると、相手の頬からうす笑いが消えた。フェレイラという名が心に浮んだ。そうか。この男たちは、遂にフェレイラを連れてきて、自分が転ぶよう説得させるわけか。長い間、自分にはフェレイラにたいする嫌悪《けんお》の気持はほとんどなく、むしろ優者がみじめな者に感ずるような憐憫《れんびん》の感情が強かった。しかし今、現実に彼と対面できそうになった時、司祭は烈しい胸騒ぎと不安とを感じる。その理由は自分でもよく摑《つか》めなかった。

「この人物、誰か、おわかりかな」

「わかっております」

「そうかな」

通辞は、うす笑いを頰にうかべ、扇子を鳴らしながら灰色の砂浜に眼をやった。砂浜の遠くから列をつくって一群の人々がこちらにくるのが小さく見える。

「あの中に交っているな」

心の動揺をあらわしたくはなかったが、思わず司祭は牀机から立ちあがった。砂に白くよごれた松の幹ごしに次第に近づく人々の体が少しずつ見分けられた。警護の侍たちが二人、先頭を歩いている。その背後に、数珠つなぎになった三人が続いていた。モニカがよろめいている恰好まで手にとるようにわかった。そして、三人のうしろに、司祭は自分の同僚であるガルペの姿を見た。

「ほれ、ほれ」勝ち誇るように通辞は、「パードレの考えた通りかな」

司祭は食いいるようにガルペの姿を眼で追っていた。ガルペは自分がこの松林にいることを知らぬ。自分と同じように日本の野良着を着せられている。自分と同じように、膝《ひざ》から下に白い脚がぎごちなく出ている。できるだけ胸をはり、ふかく息を吸いこんでみんなの後をついて歩いている。

同僚が摑まったことを司祭は驚いているのではなかった。いつかは自分たちが捕えられるとトモギの浜に上陸した時から覚悟していたのだ。司祭が知りたいのは、ガルペが何処《どこ》で捕縛され、捕縛されてから彼が何を考えてきたかという点だった。

「私はガルペと話がしたい」

「したかろうな。しかし日は長い。まだ朝じゃ。せくこともあるまいて」

じらすように通辞はわざと欠伸《あくび》をしながら扇子で顔をあおぎはじめた。

「ところでな。島でパードレと問答した際、ちと言い忘れたことがあった。なあ、パードレ、切支丹の教える慈悲とは一体何であろう」

「あなたは小さな生き者をいじめる猫のように」司祭はくぼんだ眼で悲しそうに相手を見つめながら呟《つぶや》いた。「今、最もみだらな快感を味わっておられる。どうかどこでガルペは摑まったかを言って下さい」

「理由もなく我々は、奉行所の出来事を囚人に打ちあけはせぬよ」

列は灰色の浜で突然停り、役人たちは後尾の馬の背につんだ薦俵《こもだわら》をおろしはじめた。

「なあ」通辞はたのしそうにこちらの表情を窺《うかが》いながら、「あの薦をどのように使うか、パードレ、おわかりかな」

ガルペを除いた三人の信徒の体に役人たちが薦をまきはじめた。信徒は首だけ蓑《みの》から出た蓑虫のような姿になっていく。

「間もなく小舟に乗せられてな。沖に舟を漕《こ》ぎ出す。この入江は見かけよりも深いて」

青鈍《あおにび》色の単調な波が相変らず浜を嚙んでいた。雲は太陽を覆いかくして鉛色に低くたれこめていた。

「ほれ、今、役人衆の一人がパードレ・ガルペに話しかけておる」通辞は歌うような調子で言った。「何を話しておるか。おそらく役人衆はこう申されておるであろう。まこと切支丹の慈悲あるパードレならば、あの薦をかぶせられた三人を憐《あわ》れと思うであろう。あの者たちを見殺しにすまいとな」

通辞が何を言おうとしているのか、司祭に今はっきりわかった。怒りが体を突風のように通りぬけた。もし自分が聖職者でないならば、この男の首を、力の限り締めつけただろう。

「奉行様も、もしパードレ・ガルペが転ぶと一言、言えば三人の命は助けようと申されておる。既にあの者たちは、昨日、奉行所にて踏絵に足かけ申した」

「足かけた者をむごい……今更」

司祭は喘《あえ》ぎながらそう言ったが、言葉が続かなかった。

「わしらが転ばせたいのは、あのような小者たちではないいて。日本の島々にはまだひそかに切支丹を奉ずる百姓たちがあまたいる。それらを立ち戻らすためにもパードレたちがまず転ばねばならぬ」

Vitaem prasta puram, Iter para tutum（我等の生涯を清らかにして、我等の道を安らかならしめ）司祭はアベ・マリア・ステルラの祈りを唱えようとしたが、祈りの言葉の代りに、あの百日紅に蟬《せみ》が鳴き、陽の照りつけた地面にひとすじの赤黒い血が流れた中庭の光景が心にはっきりと甦った。彼は人々のために死のうとしてこの国に来たのだが、事実は日本人の信徒たちが自分のために次々と死んでいった。どうすれば良いのか、わからない。行為とは、今日まで教義で学んできたように、これが正、これが邪、これが善、これが悪というように、はっきりと区別できるものではなかった。ガルペがもし首をふれば、あの三人の信徒たちはこの入江に石のように放りこまれる。彼が役人たちの誘惑に従うならば、それはガルペの生涯の挫折《ざせつ》を意味した。どうしていいのかわからなかった。

「ところで、あのガルペ、どのように返事をするかな。切支丹の教えは、まず慈悲にして、デウスはまた慈悲そのものなれば、と聞いたことがあるが……おや、舟じゃ」

突然、簀巻《すまき》にされた信徒の二人が転げるように走りだした。役人が背後から突き飛ばすと囚人たちは浜の上に倒れた。蓑虫のような姿になったモニカだけがじっと青鈍色の海を見つめている。あの女の笑い声や乳房の間からとり出して自分にくれた白瓜《しろうり》の味が司祭の心に甦ってきた。

(転んでいい。転んでいい)

彼は遠くこちらに背を向けて役人の言葉を聞いているガルペに向って心の中で叫んだ。

(転んでいい。いいや、転んでならぬ)

汗が額に流れるのを感じながら眼をつぶり、今から起る出来事から卑怯《ひきょう》にも司祭は眼をそらそうとした。

あなたはなぜ黙っているのです。この時でさえ黙っているのですか。眼を開いた時、三人の蓑虫たちは既に役人に追いたてられながら小舟に向っていた。

(私は転ぶ、転ぶから)その言葉は咽喉《のど》もとまでもう出かかっていた。歯をくいしばって言葉が声を伴うのに耐えた。囚人たちに続いて槍をもった二人の役人が、着物を股《また》までからげ、舟ばたをまたぐと、舟は波間にゆれて浜を離れはじめた。まだ時間がある。どうかこれらすべてをガルぺと私のせいにしないで下さい。それはあなたが負わねばならぬ責任だ。ガルペが走りだし、波うちぎわから海に両手をあげて飛びこんだ。水しぶきをあげて小舟に近づいていく。泳ぎながら叫んでいる。

「我等の祈りを《アウディ》……聞きたまえ《ノス》」

悲鳴とも怒号ともつかぬその声は、黒い頭が波間にかくれると共に消えた。

「我等の祈りを《アウディ》……聞きたまえ《ノス》」

小舟から体をのりだして、役人たちは白い歯をみせて笑い、その一人は槍を持ちなおして、小舟に近づこうとするガルペをからかった。頭が海の中にかくれ、声は途絶え、それからまた、波にもまれた黒いごみのようにぽっかりと姿を見せ、前よりももっと力のなくなった声が、途切れ途切れに何かを叫んでいた。

役人が信徒の一人を舟ばたに立たせ槍の柄で勢いよく押した。まるで人形のように蓆に包まれた体は垂直に海に消えていった。続いてあっけないほどの早さで次の男が落下した。最後にモニカが海に呑まれていった。ガルペの頭だけが難破した舟の木片のようにしばらく漂っていたが、舟のたてた波が間もなく覆ってしまった。

「ああいうものは、幾度見ても嫌なものだて」通辞は牀机から立ちあがると急に憎しみをこめた眼でふりかえった。

「パードレ、お前らのためにな、お前らがこの日本国に身勝手な夢を押しつけよるためにな、その夢のためにどれだけ百姓らが迷惑したか考えたか。見い。血がまた流れよる。何も知らぬあの者たちの血がまた流れよる」

それから吐きすてるように、

「ガルペはまだ潔かったわ。だがお前はな……お前は、一番卑怯者じゃて。パードレの名にも価せぬ」

提燈や、バイバイバイ、石投げたもんな、手の腐る
提燈や、バイバイバイ、石投げたもんな、手の腐る

盂蘭盆は終ったというのに、子供たちはまだあの唄を遠くで歌っていた。この頃、長崎の家々では精霊棚《しようりようだな》に豆や根芋や茄子《なす》と一緒に祭った法界飯を非人や乞食にくれてやるのである。百日紅の樹では相変らず、蟬が毎日鳴き続けているが、声は次第に力なくなってきた。

「どげんしとるか」

日に一度、見張りに訪れた役人がたずねると、

「変りませぬ。日がな一日壁ばむいとります」

番人は司祭を閉じこめた部屋を指さして小声で答えた。役人がそっと格子窓から覗《のぞ》くと陽のさしこんだ板の間で、司祭は背中をこちらに見せて坐っている。

向きあった壁に一日中、群青色《ぐんじよういろ》の波とそこに漂うガルペの小さな黒い頭をみる。今、三人の簀巻になった信徒も小石のように落下していく。

この幻影は首を振ると消え、眼をつぶると執拗《しつよう》に眼蓋《まぶた》の裏に纏《まつ》わりついてくる。

「お前は卑怯者ぞ」牀机から立ちあがって通辞は言った。「パードレの名にも価せぬ」

自分は信徒たちを救うこともできなかったし、ガルペのように、彼等を追って波浪の中に消えていくこともしなかった。自分はあの連中への憐憫にひきずられて、どうしようもなかった。しかし憐憫は行為ではなかった。愛でもなかった。憐憫は情慾《じょうよく》と同じように一種の本能にすぎなかった。そのくらいはもうずっとずっと昔、神学校《セミナリオ》の固いベンチの上で習ったのに、それは書物の上の知識だけにとどまっていたのだ。

「見い。見い。お前たちのためにな、ほれ、血が流れよる、百姓たちの血がまた地面に流れよる」

すると陽光の照りつける牢舎の庭に赤黒く、ひとすじ続いた血が浮んだ。通辞はこの血が、宣教師たちの身勝手な理想がまねいたのだと言った。井上筑後守はこの身勝手な理想を醜女《しこめ》の深情けにたとえた。一人の男に醜女の深情けは耐えがたい重荷だと言った。

「それにな」通辞の笑いを浮べた顔に、筑後守の血色も肉づきもいい顔が重なって、「お前は彼等のために死のうとてこの国に来たと言う。だが事実はお前のためにあの者たちが死んでいくわ」

侮蔑《ぶべつ》の笑い声が司祭の傷口をひろげて針のように刺す。首を弱々しくふり、この国の百姓たちは長い間、自分のために死ぬことはなかった。彼等が自分を守るため死を選んだのは信仰をえてからだと彼は答えたが、この答えも今となっては傷口をいやす力にはならなかった。

こうして毎日がすぎた。百日紅の樹で相変らず蟬が力のない声で鳴きつづけている。

「どげん、しとっか」

日に一度、見張りに訪れた役人がたずねると、

「変りませぬ。日がな一日、壁ばむいとります」

番人は部屋を指さして小声で答える。

「仔細《しさい》に見て参れとの奉行所からの御指図じゃ。万事、筑後守様の御考え通りに運んでおるな」

役人は格子窓から顔を離すと、病人の経過をじっと観察している医師のように満足そうなうす笑いを浮べた。

盆祭が終ったあと、長崎の街ではしばらくの間、静かな日が続く。月の終りには礼日と言って、長崎、大山浦、浦上の庄屋たちが早稲米《わせまい》の箱を奉行所に献納する。八月の朔日《ついたち》には八朔《はっさく》と称して諸役人や由緒ある町方代表たちが白帷子《しろかたびら》を着て代官に伺候する。

月が次第に満月になっていった。牢舎の背後にある雑木林で山鳩と梟《ふくろう》とが交互に同じような声で毎夜、鳴いた。その雑木林の上にすっかり丸くなった月が、気味わるいほど赤い色をおびて黒雲に出たりかくれたりした。老人たちは今年は良くないことが起るかもしれないと噂《うわさ》しあった。

八月十三日。長崎の町家では膾《なます》を作り、琉球芋《りゆうきゆういも》や大豆などを煮しめる。当日は奉行所に勤める役人などから魚類や菓子の奉呈がある。奉行からも酒や吸物や団子などを役人たちへ配る。

その夜、番人たちは芋や豆などを肴《さかな》にして遅くまで酒を飲んでいた。訛声《だみごえ》や皿のカチカチとふ

れ合う音が何時《いつ》までも聞えた。司祭は格子窓から洩れる銀色の月光を、肉の落ちた肩に浴びながら正坐していた。痩せた影が板壁にうつり、時折、何に驚いたのか、雑木林の中で一匹の油蟬がチ、チと飛びたつ。くぼんだ眼をつぶり、彼は闇のふかさにじっと耐える。自分の知っている人、自分の知っている者たちがすべて眠っているこの夜、司祭の胸の裏を抉《えぐ》るように横切るのは、同じような一つの夜である。真昼の熱気を吸いこんだゲッセマネの灰色の地面にうずくまり、眠りこけている弟子たちから一人離れて、「死ぬばかり苦しみ、汗、血の雫《しずく》の滴《したた》った」あの人の顔を司祭は今嚙みしめる。かつて彼は幾百回となくあの人の顔を想いうかべ考えたが、このように汗を流して苦しんでいる顔だけは、なぜか遠いもののように思われた。しかし、今夜はじめて、その頰肉のそげた表情がまぶたの裏で焦点を結んでいる。

あの人もその夜、神の沈黙を予感し、おそれおののいたのかどうか。司祭は考えたくはなかった。だが、今、彼の胸を不意に通りすぎ、一つのその声を聞くまいとして司祭は二、三度烈しく首を振った。モキチやイチゾウが杭にしばられ、沈んでいった雨の海。小舟を追うガルペの黒い頭がやがて力尽きて小さな木片のように漂っていた海。その小舟から垂直に次々と簀巻の体が落下していった海。海はかぎりなく広く哀《かな》しく拡がっていたが、その時も神は海の上でただ頑《かたく》なに黙りつづけていた。「エロイ・エロイ・ラマ・サバクタニ」（なんぞ、我を見棄て給うや）突然、この声が鉛色の海の記憶と一緒に司祭の胸を突きあげてきた。エロイ・エロイ・ラマ・サバクタニ。金曜日の六時、この声は遍く闇になった空にむかって十字架の上からひびいたが、司祭はそれを長い間、あの人の祈りの言葉と考え、決して神の沈黙への恐怖から出たものだとは思ってはいなかった。

神は本当にいるのか。もし神がいなければ、幾つも幾つもの海を横切り、この小さな不毛の島に一粒の種を持ち運んできた自分の半生は滑稽だった。蟬がないている真昼、首を落された片眼の男の人生は滑稽だった。泳ぎながら、信徒たちの小舟を追ったガルペの一生は滑稽だった。司祭は壁にむかって声をだして笑った。

「パードレ、なんのおかしとやぁ」

酒を呑んでいた番人たちの訛声がやみ、厠《かわや》に立った一人が戸の向うを通りすぎながら訊《たず》ねた。

だが朝になり、ふたたび格子窓から強い光が流れこむと司祭は幾分気力をとり戻し、昨夜、自分を襲った孤独感から立ち直ることができた。両足を前に投げだし頭を板壁に靠《もた》れさせながら、彼は詩篇《しへん》の詩をうつろな声で呟いた。「ダビデの歌なり讃美なり。我が心はさだまれり。われ謳《うた》いまつらん。讃《たた》えまつらん。箏《そう》よ、琴よ、さむべし、われ黎明《れいめい》をよびさまさん。エホバをほめたたえよ」それらの言葉は、彼が少年時代に碧空《あおぞら》や果樹を風が渡るのを見るたびに必ず心に甦らせた聖句だったが、その時の神は今のようにおそれたり、暗い疑惑を持つ対象ではなく、もっと身近にこの地上と調和して生きる悦ばしさを感じさせる相手だった。

そんな彼を時々、格子窓から役人と番人の好奇心にみちた眼が覗きこんだが、司祭はもうそっちに振りむきもしなかった。日に二度、差し入れられる食事も手をつけぬことがたびたびあった。

九月になり、空気に幾分ひんやりしたものを感じはじめた午後、彼は突然あの通辞の訪問を受けた。

「やあ、今日はお前に会わしたきお人があってな」

通辞は相変らずからかうように扇子の音をならしながら声をかけた。

「いやいや、御奉行ではない。お役人衆でもない。さだめしお前も会って満足のゆくお方だ」

司祭は黙って感情のない眼で相手を見つめた。この通辞があの日、自分に投げつけた言葉はまだはっきりと憶えてはいたが、憎んだり怒る気持にはふしぎになれなかった。なれないというよりは、もうそんなことを感じることも彼にはけだるかったのである。

「聞けば食事も余り取らぬというがの」通辞は例のうす笑いをうかべて、「あまり思いつめぬほうがよいな」

そう言いながら、彼はしきりに部屋から出たり入ったりしながら首をかたむけた。

「駕籠《かご》が遅い。もう参っても良い時刻だが」

今更、誰が来ようが司祭にはもうほとんど興味はなかった。まるで物体でも見るようにせわしげに自分と番人の部屋との間を往復している通辞の背中を彼はぼんやり眺めるだけだった。

駕籠をかついだ人足たちの声が門口でひびいて、通辞と小屋の外で何かを話しあっていた。

「パードレ、出かけようぞ」

司祭は黙ったまま立ちあがり、のろのろと外に出た。神経の疲労で黄色く濁った眼に、外光はことのほか痛い。下帯一つの人足が二人、駕籠に肱《ひじ》をついたままじっとこちらを見詰めている。

「重たかあ。こげん体のふとかもん」

司祭を駕籠にのせると人足たちは不平を言った。人眼を避けるために駕籠の簾《すだれ》をおろしたので、外の模様は何も見えぬ。たださまざまな物音が聞えてくるだけである。童たちの叫びや声。僧の鈴の音。普請の音。夕陽は簾を通して斑《まだら》に彼の顔にあたり、音だけではなく色々な臭いもにおってくる。樹の匂いと泥の臭い。鶏や牛馬の臭い。眼をつぶって司祭はわずかな間だが手に戻ってきたこれら人間の生活を胸の底まで吸いこんだ。突然、自分もまた皆のように人々に話しかけ、人々の話をきき、これらの生活の中に溶けこみたい欲望が胸をつきあげてきた。炭小屋にかくれ、追手に怯《おび》えながら山中を彷徨《ほうこう》し、そして信徒が殺されるのを眼にする毎日はもう沢山だった。もう自分にはとてもそれに耐える力が残っていないように思われた。だが、「汝《なんじ》の心を尽し、魂をつくし、意をつくし、能力をつくし」一つのことだけを凝視することが司祭になった時からの彼の仕事だった。

物音だけで駕籠が市中に入ったことはよくわかった。さきほどまで鶏の声や牛の鳴き声が聞えたのに、今はその代りにせわしく歩く人々の足音、物売りたちのかん高い叫び、車の輪の響きや、何か口論をしているわめき声も簾ごしに伝わってくる。

一体どこに連れていかれるのか、誰に会わされるのかはもう司祭にはどうでもよかった。誰に会わされても、今までのように同じ質問の繰りかえし、同じ仕方の糾問が続くだけだろう。基督《キリスト》を調べたヘロデの問いのようにこちらの言うことを聞くためではなく、ただ形式のための訊問にすぎなかった。その上なんのため井上筑後守《ちくごのかみ》が、この自分だけを殺しもせず、釈放するわけでもなく、生かしておくのかもわからなかった。しかし今はその理由をあれこれと穿鑿《せんさく》することも物憂く、けだるかった。

「ここじゃ」

汗を掌でぬぐいながら通辞は駕籠をとめ簾をあげた。外に出るといつの間にか夕暮の光があかあかと照り、牢舎で彼の世話をしてくれる番人がいた。やはり道中、自分の逃亡を怖《おそ》れてついてきたにちがいない。

石段の上に、山門があった。夕陽にかがやいた山門の背後にさして大きくない寺が見える。うしろは、崖《がけ》の茶色の切りたった山につづいている。庫裏《くり》はうす暗く、ひんやりとして板の間には二、三羽の鶏が傍若無人に歩きまわっていた。若い坊主が一人出てくると、敵意のこもったよく光る眼で司祭を見あげ、通辞にさえ挨拶せず、姿を消した。

「坊主たちはお前らパードレが嫌いでな」

通辞は板の間に腰をおろし、中庭のほうに眼をやりながら嬉しそうに言った。

「いつまでも一人で壁に向きあっておるのは身心に毒じゃ。だが断っておくが無用な面倒を起しては為《ため》にはならんぞ」

例によって、こちらをからかうような通辞の言葉を司祭はほとんど聞いてはいなかった。それよりも彼は、この庫裏の臭いの中に――線香や湿気や日本人の食物の臭いの中になぜか急に異質な臭いが交っているのを嗅《か》ぎとった。肉の臭いだった。久しく肉をたべていないだけにこのかすかな臭気も敏感に感じとることができた。

跫音《あしおと》は遠くから聞えた。長い廊下の向うからゆっくりこちらに近づいてくる。

「誰に会うのか、推量がついたかな」

この時、司祭は顔を強張らせ、始めてうなずいた。思わず膝の震えるのが自分でもよくわかった。その男と会う時がいつかは来るものとは思っていたが、こんな所だとは考えてもいなかった。

「もう、そろそろ会わせても宜《よ》かろうと」通辞は司祭の震えている姿を楽しみながら、「御奉行様が申されてな」

「井上様が」

「そう。向うもお前には会いたがっておったぞ」

年とった僧侶《そうりょ》の姿のうしろに、黒っぽい着物を着せられたフェレイラが俯《うつむ》きながら歩いてくる。小柄な老僧が思い切り胸をそらせているだけに、俯いた丈高いフェレイラの恰好は余計に卑屈に見えた。まるで首に縄をつけられて無理矢理に引きずられている大きな家畜のようだった。

老僧は立ちどまると、無言で司祭を一瞥《いちべつ》し、西陽の照りつける板の間の隅にあぐらをかいた。みんな、長い間黙っていた。

「パードレ」やっと司祭は震え声で言った。「パードレ」

俯いた顔を少しあげて、フェレイラは上眼使いに司祭をちらっと見た。はじめ、その眼に卑屈な笑いと羞恥《しゅうち》の光が同時に走った。それから今度はむしろ挑むようにわざと大きな眼でこちらを見おろした。

司祭は司祭で、何を口に出してよいのかわからなかった。胸はつまり、今はどんな言葉もみな嘘になるような気がする。こちらをじっと見守っている僧侶や通辞の優越的な好奇心もこれ以上、刺戟《しげき》したくはなかった。懐かしさ、怒り、哀しみ、恨み、それら様々な感情がからみあい胸の裏側にぶつぶつ音をたてていた。（なぜ、そんな顔をする）彼は心の中で叫んだ。（私はあなたを責めるために来たのじゃない。あなたを裁くためにここに居るのではない。私は優者じゃない）無理矢理に微笑を作ろうとしたが、微笑のかわりに、心ならずもひとすじの白い泪《なみだ》が眼からあふれ、泪は司祭の頬をゆっくり流れた。

「パードレ、お久しゅう……」

と、やっと震える声で言えた。こんな言葉が今、どんなに滑稽で愚かしいものかは百も承知していたが、それ以外に言うことがなかった。

それでも、フェレイラは黙ったまま、挑むようなうす笑いを頬に浮べ続けていた。弱々しい卑屈な微笑から、挑むような表情をとるまでのフェレイラの心が手にとるようにわかる。わかるだけに、司祭はこのまま朽木のように倒れてしまいたかった。

「何か、言うて、下さい」

司祭は喘ぐような声で言った。

「もし、私を憐れんで下さるなら、何か、言うて、下さい」

あなたは髭《ひげ》をそりましたね。突然、この奇妙な言葉が、咽喉もとにこみあげてくる。なぜ、こんな想念が不意に浮んだのか、自分にもわからなかった。しかし、昔、自分やガルペが知っていた時のフェレイラ師はたしかにその顎《あご》に手入れの行き届いたうつくしい髭をたくわえていたのである。それは彼の顔に一種独特のやさしさのこもった威厳を感じさせていた。だが今、その髭の生えていた鼻の下や顎がつるんとなっている。司祭はフェレイラのつるんとなった顔の部分に眼がどうしてもいくのを感じた。そこはひどく淫猥《いんわい》だった。

「このような時、何を言えばいいのかね」

「あなたは御自分を偽っていられるのです」

「自分を偽る？　偽らない部分をどう言えばいいのか」

通辞は二人のポルトガル語を聞き洩らすまいと膝を乗りだしていた。土間からまた二、三羽の鶏が、板の間に飛びあがって羽ばたきをした。

「長い間、ここに住んでいたのですか」

「一年ほどになるだろう」

「ここは」

「西勝寺とよぶ寺だ」

西勝寺という発音がフェレイラの口から洩れると、正面を石仏のように向いていた老僧はこちらに顔をむけた。

「私も長崎のどこかの牢屋におります。場所は自分でもわかりません」

「知っている。外町《そとまち》という郊外に当る」

「毎日、何をしているのですか。あなたは」

フェレイラは顔を歪《ゆが》め、手でつるんとした顎をなぜた。

「沢野殿は毎日書物を書いておられる」

と通辞が横からフェレイラに代って答えた。

「私は奉行の命令で天文学の本を翻案しているのだ」フェレイラは通辞の口をふさぐように早口でしゃべりだした。「そうだとも。私は役に立っている。この国の人々に役に立っている。すべての知識に日本人は富んでいるが、天文学や医学では私のような西洋人はまだ助けることができるからな。もちろんこの国には中国から学んだ優れた医学があるが……しかしそれに私等の外科をつけ加えるのは決して無駄ではないだろう。天文学だって同じことだ。私はだからオランダの船長たちにレンズや望遠鏡の斡旋《あっせん》を依頼しておいた。この国で私は決して無益ではない。このように有用だ。そうだとも」

司祭はフェレイラが押しかぶせるようにまくしたてる口もとをじっと見詰めていた。彼にはなぜ相手が突然このように饒舌になったのかわからない。しかし、自分がまだ役にたっていることを幾度も強調するその心のあせりは理解できるような気がした。フェレイラは彼にだけしゃべっているのではなかった。通辞や僧侶にも聞かせるために、そして自分で自分の存在を納得するために、まくしたてているのだった。

「私はこの国で役に立っている」

その間、司祭は哀しそうに眼をしばたたきながらフェレイラを見ていた。そう、人々のために有益であり役に立つことは聖職者たちのただ一つの願いであり夢だった。神父たちの孤独とは自分が他人のために無益である時だった。そしてフェレイラは転んだ今でも、昔の心理的な習慣から脱《のが》れることができないのだと司祭は思った。ちょうど気の狂った女がまだ赤児に乳房をふくませるように、フェレイラは他人に自分が有益でありたいという昔の思い出にすがりついているように見えた。

「倖《しあわ》せですか……」

司祭は呟いた。

「だれが……」

「あなたは……」

「倖せなど」フェレイラの眼にまた挑むような鋭い光が走った。「人それぞれの考え方によるものだろう」

昔のあなたなら決してそんな物の言い方をしなかったろう。そう言いかけて、司祭はけだるい気持で口を噤《つぐ》んだ。転んだことや自分たち弟子を裏切ったことを責めるために自分はここに居るのではなかった。相手が見せまいとしてかくしているその深い傷に指を入れる気持はもう毛頭なかった。

「さよう。我々和人には役に立っておるとも。こちらは名も沢野忠庵と改められてな」

通辞はフェレイラと司祭との間で両方の顔に微笑を送りながら、

「もう一冊の書物にとりかかっておられる。デウスの教えと切支丹の誤りと不正をば暴露《あば》く書物でな。たしか顕偽録とか言うたが」

今度はフェレイラが口をはさむ暇はなかった。一瞬、彼は視線を羽ばたいている鶏たちにむけてまるでなにも耳に入らなかったようなふりをした。

「御奉行もその稿を読まれてな。よくできておると褒めておられたわ」通辞は司祭に、「お前もいずれ牢で暇な折、眼を通すがよい」

今しがたフェレイラがあわてて天文学の翻案をしていると早口でしゃべりだしたその理由を司祭はやっと摑むことができた。井上筑後守の命令で毎日机に向わせられているフェレイラ。かつて自分が生涯かけて信じてきた基督教を不正だと書いているフェレイラ。筆をとっているフェレイラの曲った背中が司祭には眼に見えるようだ。

「むごい」

「何と」

「むごい。どんな拷問より、これほどむごい仕打ちはないように思えます」

司祭は、顔をそらしているフェレイラの眼に突然白い泪が光ったのを見た。日本の黒い着物を着せられ、栗色の毛を日本人のように結わせられ、そして名まで沢野忠庵と名づけられ……しかもなお生き続けている。主よ。あなたはまだ黙っていられる。こんな人生にも頑なに黙っていられる。

「沢野殿。わしらが今日、このパードレをここに連れて参ったのは、そのような長談義をするためではない」

通辞は西陽の強くあたる板に石仏のように正坐している老僧をふりかえり、

「ほれ、老師にも御用が多々おありだて。早うのべてくれぬか」

フェレイラはさきほどの闘志をもう失ったようだった。睫毛《まつげ》に白い泪をまだ光らせているこの男が急に小さく縮んだように司祭には思えた。

「お前が転ぶよう、奨めろと……私は言われてきた」

フェレイラは疲れたように呟くと、

「これを見るがいい」

無言のまま自分の耳のうしろを指さした。傷痕《きずあと》がそこにあった。褐色になった火傷《やけど》のひきつったような傷痕だった。

「穴吊りと申してな。いつか話したこともあろうが。手足の動かぬよう簀巻にして穴に吊る」通辞は、自分もわざと怯えたように両手を拡げてみせると、「そのままでは即座に絶命するゆえ、こうな耳のうしろに穴をあけてな、一滴一滴血が滴るようにする。井上様の考えなされた拷問だが」

あの耳の大きな血色も肉づきもいい奉行の顔が思いうかぶ。茶碗を両手でかかえゆっくりと湯を飲んでいた顔。自分が抗弁すると、いかにも納得したようにゆっくりうなずき、ゆっくり微笑をうかべた顔。ヘロデはあの人が拷問を受けていた時、花にかこまれた食卓にむかって食事をとっていた。

「考えるがよい。今となってはな、この国に切支丹のパードレはお前一人だが、そのお前もな、もう捕えられては百姓たちに教えとやらを広めるすべもない。なあ、用なき身ではないか」

眼を細めた通辞の声は急に優しくなり、

「だが忠庵殿はさきほど申されたように、天文、医術の書を翻案し、病人を助け、人のために尽されておる。用なき身を便々《べんべん》として牢舎に一生送るが道か、それとも表向きは転んで人のために助けとなるか。ここをよう思案せねばならぬぞ。老師も常々、忠庵殿にもそう教えられておられた筈だ。仁慈の道とは畢竟《ひっきょう》、我を棄てること。我とはな、徒《いたず》らに宗派の別にこだわることであろう。人のために尽すには仏の道も切支丹も変りはあるまいて。肝心なことは道を行うか行わぬかだ。沢野殿もたしか、顕偽録の中にさよう書かれておったな」

そう言い終ると通辞はフェレイラに発言を促すようにふりかえった。

和服を着せられたこの老人のうすい背中に夕陽がいっぱいに当っている。うすいその背中を司祭はじっと眺めながら、むかし、リスボンの神学校で神学生の敬愛をうけていたフェレイラ師の姿をむなしく探そうとした。今はふしぎに軽蔑の気持も起らない。ただ魂のぬけた生きものを見るような憐れみの感情が胸をしめつける。

「二十年」フェレイラは弱々しく眼を伏せながら呟いた。「二十年、私はこの国に布教したのだ。この国のことならお前よりも知っている」

「その二十年間あなたはイエズス会の地区長《スペリオ》として、輝かしい仕事を続けられました」司祭は相手を励ますように声をあげた。「あなたがイエズス会本部に書き送られた手紙を私たちは尊敬の念をもって読んできました」

「そしてお前の眼の前にいるのは布教に敗北した老宣教師の姿だ」

「布教には敗北ということはありません。あなたや私が死んだあと、また、新しい一人の司祭が澳門《マカオ》からジャンクに乗り、この国のどこかにそっと上陸するでしょう」

「きっと彼は捕われることであろうな」通辞は横から急いで口を入れた。「捕われるたびにまた日本人の血が流れる。お前らの身勝手な夢のために、死ぬのは日本人たちだと何度申せばわかるのだ。もうわしらをそっとしてくれてもよい時期だ」

「二十年間、私は布教してきた」フェレイラは感情のない声で同じ言葉を繰りかえしつづけた。「知ったことはただこの国にはお前や私たちの宗教は所詮《しょせん》、根をおろさぬということだけだ」

「根をおろさぬのではありませぬ」司祭は首をふって大声で叫んだ。「根が切りとられたのです」

だがフェレイラは司祭の大声に顔さえあげず眼を伏せたきり、意志も感情もない人形のように、

「この国は沼地だ。やがてお前にもわかるだろうな。この国は考えていたより、もっと怖ろしい沼地だった。どんな苗もその沼地に植えられれば、根が腐りはじめる。葉が黄ばみ枯れていく。我々はこの沼地に基督教という苗を植えてしまった」

「その苗がのび、葉をひろげた時期もありました」

「何時《いつ》？」

はじめてフェレイラは司祭をみつめ、うす笑いをそのこけた頬にうかべた。そのうす笑いはまるで世間知らずの青年でも憐れんでいるようだった。

「あなたがこの国に来られた頃、教会がこの国のいたる所に建てられ、信仰が朝の新鮮な花のように匂い、数多い日本人がヨルダン河に集まるユダヤ人のように争って洗礼をうけた頃です」

「だが日本人がその時信仰したものは基督教の教える神でなかったとすれば……」

ゆっくりとフェレイラはその言葉を呟いた。その頬にはまだ、こちらを憐れむような微笑が残っていた。

わけのわからぬ怒りが胸の底からこみあげてくるのを感じ、司祭は思わず拳《こぶし》を握りしめた。理性的になれと必死に自分に言いきかせる。こんな詭弁《きべん》にだまされてはならぬ。敗北したものは、弁解するためにどんな自己欺瞞《ぎまん》でも作りあげていくのだ。

「あなたは、否定してはならぬものまで否定しようとされている」

「そうではない。この国の者たちがあの頃信じたものは我々の神ではない。彼等の神々だった。それを私たちは長い長い間知らず、日本人が基督教徒になったと思いこんでいた」フェレイラは疲れたように床に腰をおろした。和服の裾がはだけ、棒のように痩《や》せてよごれた素足が見え、「私はお前に弁解したり説得するためにこう言っているのではない。おそらくだれにもこの言葉を信じてもらえまい。お前だけではなく、ゴアや澳門にいる宣教師たち、西欧の教会のすべての司祭たちは信じてはくれまい。だが私は二十年の布教の後に日本人を知った。我々の植えた苗の根は知らぬ間に少しずつ腐っていたことを知った」

「聖フランシスコ・ザビエルは」司祭はたまりかねたように手で相手の言葉を遮《さえぎ》った。「日本におられる間、決してそんな考えは持たれなかった」

「あの聖者も」フェレイラはうなずいた。「はじめは少しも気がつかなかった。だが聖ザビエル師が教えられたデウスという言葉も日本人たちは勝手に大日《だいにち》とよぶ信仰に変えていたのだ。陽を拝む日本人にはデウスと大日とはほとんど似た発音だった。あの錯誤にザビエルが気づいた手紙をお前は読んでいなかったのか」

「もしザビエル師に良い通辞がつき添っていたならば、そんなつまらぬ些細《ささい》な誤解はなかったでしょう」

「そうじゃない。お前には私の話が一向にわかっていないのだ」

フェレイラは始めて顳顬《こめかみ》のあたりに神経質ないらだちをみせて言いかえした。

「お前には何もわからぬ。澳門やゴアの修道院からこの国の布教を見物している連中には何も理解できぬ。デウスと大日と混同した日本人はその時から我々の神を彼等流に屈折させ変化させ、そして別のものを作りあげはじめたのだ。言葉の混乱がなくなったあとも、この屈折と変化とはひそかに続けられ、お前がさっき口に出した布教がもっとも華やかな時でさえも日本人たちは基督教の神ではなく、彼等が屈折させたものを信じていたのだ」

「我々の神を屈折させ変化させ、そして別のものを……」司祭はフェレイラの言葉を嚙みしめるように繰りかえした。「それもやはり我々のデウスではありませんか」

「違う。基督教の神は日本人の心情のなかで、いつか神としての実体を失っていった」

「何をあなたは言う」

司祭の大声に、土間で餌を温和《おとな》しくついばんでいた鶏が羽ばたきをしながら隅に逃げた。

「私の言うことは簡単だ、お前たちはな、布教の表面だけ見て、その質を考えておらぬ。なるほど私の布教した二十年間、言われる通り、上方《かみがた》に九州に中国に仙台に、あまた教会がたち、神学校《セミナリオ》は有馬《ありま》に安土《あづち》に作られ、日本人たちは争って信徒となった。我々は四十万の信徒を持ったこともある」

「それをあなたは誇ってもよい筈です」

「誇る？　もし、日本人たちが、私の教えた神を信じていたならな。だが、この国で我々のたてた教会で日本人たちが祈っていたのは基督教の神ではない。私たちには理解できぬ彼等流に屈折された神だった。もしあれを神というなら」フェレイラはうつむき、何かを思い出すように唇を動かした。「いや。あれは神じゃない。蜘蛛《くも》の巣にかかった蝶とそっくりだ。始めはその蝶はたしかに蝶にちがいなかった。だが翌日、それは外見だけは蝶の羽根と胴とをもちながら、実体を失った死骸になっていく。我々の神もこの日本では蜘蛛の巣にひっかかった蝶とそっくりに、外形と形式だけ神らしくみせながら、既に実体のない死骸になってしまった」

「そんな筈はない。馬鹿げた話をもう聞きたくない。あなたほどこの日本にはいなかったが、私はこの眼で殉教者たちをはっきり見た」司祭は手で顔を覆うようにして指の間から声を洩らせた。「彼等がたしかに信仰にもえながら死んでいったのを私はこの眼でみた」

雨のふる海、その海に浮んだ二本の黒い杭の思い出が司祭の心に痛いほど甦《よみがえ》ってきた。片眼の男が真昼の光のなかでどのように殺されたかも彼は忘れることはできなかった。自分に瓜をくれた女が薦に入れられて海に沈められた状況も記憶にそのままこびりついていた。あのものたちがもし信仰のために死んだのでないとすれば、それは人間にたいする何という冒瀆《ぼうとく》だろう。フェレイラは虚偽《いつわり》を言っている。

「彼等が信じていたのは基督教の神ではない。日本人は今日まで」フェレイラは自信をもって断言するように一語一語に力をこめて、はっきり言った。「神の概念はもたなかったし、これからももてないだろう」

その言葉は動かしがたい岩のような重みで司祭の胸にのしかかってきた。それは彼が子供の時、神は存在すると始めて教えられた時のような重力をもっていた。

「日本人は人間とは全く隔絶した神を考える能力をもっていない。日本人は人間を超えた存在を考える力も持っていない」

「基督教と教会とはすべての国と土地とをこえて真実です。でなければ我々の布教に何の意味があったろう」

「日本人は人間を美化したり拡張したものを神とよぶ。人間と同じ存在をもつものを神とよぶ。だがそれは教会の神ではない」

「あなたが二十年間、この国でつかんだものはそれだけですか」

「それだけだ」フェレイラは寂しそうにうなずいた。「私にはだから、布教の意味はなくなっていった。たずさえてきた苗はこの日本とよぶ沼地でいつの間にか根も腐っていった。私はながい間、それに気づきもせず知りもしなかった」

最後のフェレイラのこの言葉には司祭も疑うことのできぬ苦い諦《あきら》めがこもっていた。夕暮の光はさきほどより力を失い、土間の隅には夕影が少しずつ忍びこみはじめた。司祭は遠くで木魚を叩く単調な音と、仏僧たちの悲しそうな読経の声を聞いた。

「あなたは」司祭はフェレイラにむかってつぶやいた。「もう私の知っているフェレイラ師ではない」

「そう、私はフェレイラではない。沢野忠庵という名を奉行からもらった男だ」フェレイラは眼を伏せて答えた。「名だけではない、死刑にされた男の妻と子供も一緒にもらった」

亥《い》の刻、駕籠に乗せられ、役人と番人とにつき添われながら戻り路《みち》についた。夜更けのためさすがに通行人も途絶え、駕籠のなかを覗かれる心配はない。役人は司祭に簾をあげることを許した。逃げようと思えば逃げられたろうが、司祭にはもうその気力すら起きなかった。路はひどく細く折れ曲り、番人が内町と教えてくれた区域にはまだ小屋のような板葺きの民家がかたまっていたが、この区域を出ると時々長い寺の塀《へい》や雑木林があるだけで、長崎の町はまだ町らしい形をなしていないことがよくわかってきた。真黒な梢《こずえ》の上に出ている月が駕籠にあわせて西へ西へと動くように見える。その月の色は凄《すさ》まじかった。

「気晴らしになったであろうが」

駕籠にそって歩きながら役人がやさしく言った。

牢舎に到着すると司祭はその役人と番人とに丁寧に礼を言って板の間に入った。背後で番人がいつものように錠をおろす鈍い音がきこえた。随分ながくここを留守にして久しぶりに戻ったような気さえする。雑木林で時折、鳴いている山鳩の声も久しく耳にしなかったような気持である。この牢舎での十日にくらべることができるほど今日一日は長く苦しかった。

フェレイラに遂に会えたことはそれ自体司祭の心を驚かせはしなかった。あの老人があのような変り果てた姿になっていたことも、今、考えると、日本に来て以来、いつの間にか想像していたのだ。和服を着せられ、窶《やつ》れたフェレイラがよろめくように廊下の向うから現われた時も、自分の心にはそれほどの動揺も驚愕《きょうがく》もなかった。そんなことは今、どうでもいいことだ。どうでもいいことだ。

(だが彼の言ったことは何処まで真実なのか)

格子窓から洩れる月の光を痩せた背いっぱいに浴びながら司祭は板壁にむかい端坐する。フェレイラは自分の弱さと過失とを弁解するためにあのような話を持ちだしたのではないか。そうだ。そうに違いないと心の一方で言いきかせながら、しかしひょっとするとあの話は真実ではないかと不安に駆られる。フェレイラはこの日本は底のない沼沢地だといっていた。苗はそこで根を腐らせ枯れていく。基督教という苗もこの沼沢地では人々の気づかぬ間に枯れていったのだ。

「切支丹が亡びたのはな、お前が考えるように禁制のせいでも、迫害のせいでもない。この国にはな、どうしても基督教を受けつけぬ何かがあったのだ」

フェレイラの言葉は一語一語、司祭の耳を刺《とげ》のようにさす。お前たちが信じているあの神はこの国ではまるで蜘蛛の巣にぶらさがった蝶の死骸のように外形だけ保って血も実体も失っていたのだと、その時だけフェレイラは眼を熱っぽく光らせしゃべりつづけた。あの表情にはなぜか、敗者の自己欺瞞とは思えぬような真実さが感じられたのである。

尿《いばり》を終えた番人の跫音が中庭のほうでかすかに聞える。それが消えると闇の中に聞えるのはただ地虫の長い嗄《しわが》れた声だけである。

(そんな筈はない。そんなことはありえない)

司祭はもちろんフェレイラの言葉を否認できる布教の経験をひとつも持っていなかった。しかし彼はこれを否定しなければこの国に来た自分を全《すべ》て失うのである。壁にこつこつと頭をうちつけながら彼は単調に呟きつづけた。そんな筈はない。そんなことはありえない。

そんなことはありえない。人は偽りの信仰で自分を犠牲にすることはできぬ筈だ。自分がこの眼で見た農民たち。まずしい殉教者《マルチイル》たち。あの連中にももし救いというものが信じられなければ、どうして霧雨のふる海の中にただ石ころのように沈んでいくことができただろう。あの連中たちは今はどこからみても強い信徒であり、教徒だった。その信仰は素朴であってもその信念を吹きこんだのは日本の役人たちや仏教ではなかった。それは教会の筈である。

司祭はその時フェレイラの哀しみに思い当った。フェレイラはあの話のなかで一度も日本の貧しい殉教者たちにふれようとは決してしなかった。むしろその点は意識して避けようとさえしていた。彼は自分とは別な人間たちの強かった者、拷問や逆さ吊りにも耐ええた者を無視しようとした。フェレイラが自分と同じ弱さの者を一人でもふやそうとしたのも孤独と弱さを分ちあうものが欲しいからであろう。

闇の中で彼は今、この夜、フェレイラは眠っているだろうかと考える。いや眠ってはいまい。あの老人は今頃、自分と同じこの町のどこかで闇の中に眼をじっとあけながら、孤独の深さを噛みしめているであろう。その孤独は今、自分が牢舎で味わわねばならぬ寂しさなどよりはもっと冷たくもっと怖ろしいものなのだ。彼は自分を裏切っただけではない。自分の弱さの上に更に弱さを重ねるため、別の人間をそこへ引きずりこもうとしている。主よ、あなたは彼を救わぬのですか。ユダに向ってあなたは言った。去れ、行きて汝のなすことをなせ。見離された群れのなかに、あなたはあの男をも入れるのですか。

フェレイラの孤独と自分の寂しさとをこのように比較した時、始めて自尊心が満足させられ微笑することができた。そしてかたい板の間に体を横たえて、眠りが訪れてくるのをじっと待っていた。

Ⅷ

翌日、ふたたびここを訪れた通辞は、

「どうだな。思案はしたか」

いつものように猫が獲物を弄《もてあそ》ぶような言い方ではなく、硬い表情をつくって、

「沢野が申した通り、無益な強情は続けぬがよい。我々とて本意から転べとは言うてはおらぬ。ただ表向きな、表向き転んだと申してくれぬか。あとはよいように、するゆえ」

壁の一点をみつめて司祭は沈黙をつづけていた。通辞の饒舌《じょうぜつ》はうとましいよりは無意味な言葉のように耳を素通りしていった。

「なあ。これ以上面倒はかけんでくれ。本心から、このように頼んでおるのだ。まこと、わしも辛い」

「なぜ穴吊《あなづ》りになさらぬ」

「理をもって納得さすことができるなら、どこまでも教えさとせと奉行さまはいつも申されておる」

司祭は膝《ひざ》に両手をおいたまま、子供のように首をふった。通辞はふかい吐息を洩らして、長い

間、黙っていた。一匹の蠅《はえ》が羽音をたてて飛びまわっていた。

「そうか……仕方ない」

まだ坐っている司祭の耳に錠をかける音が鈍く聞えた。その鈍い音で、全ての説諭がこの瞬間に終ったのだとはっきりわかった。

拷問にどのくらい耐えられるかわからなかった。しかし衰弱した身心には山中を放浪していた時あれほど怖ろしかった拷問もなぜか現実感を伴わない。すべてがもうけだるいという気持である。今は一日も早く死がおとずれることのほうが、この苦しい緊張の連続から逃れられるただ一つの道のような感じさえする。もう生きることも、神や信仰について悩むことも物憂い。この体と心との疲れが自分に早く死を与えてくれることを彼はひそかに願った。まぶたの裏に海の中に沈んでいったガルペの頭が幻のように浮んだ。あの同僚が羨《うらや》ましかった。もはやこのような苦しみから解脱《げだつ》したガルペが羨ましかった。

想像通り翌日まず朝食が与えられなかった。昼近く錠が開いて、

「出ろ」

今まで顔を見せたことのない上半身、裸の大男が顎をしゃくってみせた。

部屋を出るとすぐこの男が司祭の両手をうしろに縛った。縄は体を少しでも動かすと、思わずくいしばった歯から声が洩れるほど手首に強く食いこんだ。縄を縛る間、この男は司祭のわからぬ罵言《ばげん》を浴びせかけていた。いよいよすべての結末が来た、という感情が司祭の体を走ったが、これはふしぎに今まで味わったことのない清冽《せいれつ》な新鮮な興奮だった。

外に引きずり出された。陽光のふり注ぐ中庭に役人三名、番人四名、そしてあの通辞が一列になってこちらを見つめている。司祭はその方向に——特にあの通辞にむかって勝ち誇ったような微笑をつくってみせた。つくりながら人間というものはどういう事態になっても虚栄心から抜けきれぬとふと思った。そして自分にまだこういうことさえ気づく余裕のあるのを嬉しく思った。

大男は軽々と司祭の体をだきあげて裸馬の背にまたがらせた。それは馬というよりは、みすぼらしい、瘦せた驢馬《ろば》に似ていた。馬はよろけるように歩きだし、そのあとを役人、番人、通辞たちが徒歩で続いた。

既に路には日本人たちがかたまって一行の通り過ぎるのを待ち、馬上から司祭は微笑《ほほえ》みながら彼等を見おろした。驚いたように口を開けている老人。瓜《うり》をかじっている子供。馬鹿のように笑いながらこちらを見あげているくせに視線があうと急にこわそうに後ずさりをする女たち。それら日本人の一つ一つの顔に、光がさまざまな影をつくり、耳もとに何か褐色の塊が飛んできた。だれかが投げつけた馬糞《ばふん》だった。

微笑を口もとから消すまいと司祭はかたく決心した。驢馬に乗せられて自分は今、長崎の街を歩く。驢馬に乗せられてあの人もエルサレムの街に入った。辱《はずか》しめと侮蔑に耐える顔が人間の表情の中で最も高貴であることを彼に教えてくれたのはあの人である。今こそ自分も最後までこの表情をもちたい。この顔は異邦人の中での基督《キリスト》信者の顔なのだと司祭は思った。

露骨に敵意をむきだしにした僧侶の一団が大きな楠《くすのき》の樹蔭《こかげ》に集まり、彼等は司祭の驢馬が間近に迫ってきた時、棒をふりあげて威嚇する真似をした。両側に並んでいる顔の中から司祭はひそかに切支丹らしい者の表情をさがしたが無駄だった。誰もが敵意か憎しみかそれとも好奇心しか持っていなかった。だからその中で、犬のように哀れみを乞うている眼にぶつかった時、司祭は思わず体をねじった。キチジローだった。

襤褸《ぼろ》を身にまとったキチジローは前列で一行を待っていた。司祭と視線が合うとあわてて眼を伏せ、人々の間に素早く体をかくした。しかし司祭はよろめく驢馬の上からあの男がどこまでも従《つ》いてくるのを知った。それはこの異邦人たちの中で、彼の知っているただ一人の男だった。

（もういい。もういい。私はもう怒っていない。主もまた怒っていられないだろう）

司祭は告悔のあとで信徒を慰めるように、キチジローにうなずいてみせた。

記録によればこの日、司祭をつれた一行は博多町から勝山町をとおり五島町を通過したと言う。宣教師が捕まれば処刑の前日、このように見せしめのため長崎市中を引きまわすのが奉行所の慣例である。一行が通ったのはいずれも長崎内町と言われる旧市街で、人家も多く雑踏も烈しい場所である。引きまわしの翌日はおおむね処刑にされるのが常だった。

五島町は長崎が大村純忠《すみただ》の頃、はじめて開港した時、五島の移民が集まって住んだ区域で、ここから午後の光にきらめく長崎湾が一望できた。一行のあとをついてきた群集はここまで来ると、祭のように押しあいながら異形《いぎよう》の南蛮人が縛られて裸馬にまたがっているのを見物しようとした。司祭が不自由な体をねじらせるたびに嘲笑《ちようしよう》がひときわ大きくなった。

微笑を作ろうと努めても、もう顔は強張《こわば》ってしまっている。今はただ眼をつぶり、自分を嘲《あざけ》っている顔、歯をむきだしている顔を見まいと努力するより仕方がなかった。かつてピラトの邸をとりかこんだ群集の叫びや怒号がこのように聞えた時、あの人はやはりやさしく微笑んでいただろうか。あの人さえもそれはできなかったと思う。Hoc Passionis tempore（この受難の時において）司祭の唇から小石のように祈りの言葉が出たが、あとがしばらく続かなかった。Reisque dele crimna（罪人を許せ）と彼は辛うじて次の言葉を呟《つぶや》いた。体を動かすたびに手首に食いこむ縄の痛さには馴れたが、彼が辛いのは、自分にむかってわめいている群集をあの人のように愛することができぬことだった。

「パードレ、どうだ。誰も助けにこぬな」

いつの間にか通辞が馬の横につきそって、こちらを見上げながら叫んだ。

「右も左もお前を嘲る声ばかり。お前は彼等のためにこの国に渡って来たらしいが誰一人としてお前を必要としてはおらぬ。無益な人間とはお前のことだ」

「だまって祈っている者も」裸馬の背から司祭は始めてこの通辞を血走った眼で睨《にら》みながら大声で答えた。「あの中にいるかもしれぬ」

「今更、何を言う。いいか。この長崎にもむかしは十一の教会に二万の信徒がおったわ。それが今どこに影をひそめた。あの者たちの中にも信徒だった者はおろうが、今はお前、ああして罵《ののし》ることによって、己れが切支丹でないことを周りのものに見せておる」

「私にいくら屈辱を与えても、かえって勇気を与えるだけなのに……」

「今夜」通辞は笑いながら裸馬の腹をぴちゃぴちゃと平手で叩いた。「いいか。今夜、お前は転んでいる。井上様がはっきり、そう申された。今日まで井上様がパードレたちを転ばされる時、このように申されて外れたためしはない。沢野の時も……そしてお前も……」

通辞はいかにも自信のあるように両手を握りしめ、悠々と司祭のいる場所から立ち去っていった。沢野の時も、と言う最後の言葉だけが、司祭の耳にはっきりと残った。裸馬の上で司祭は体をぴくりと震わせその言葉を追い払った。

午後の光にかがやいた湾のむこうに大きな入道雲が金色に縁どられながら湧《わ》いていた。雲はなぜか空の宮殿のように白く巨大だった。今まで数限りなく入道雲を眺めながら、司祭はそれをこのような感情で眺めたことはなかった。始めて日本の信徒たちがむかし歌ったあの唄が彼にどんなに美しいものかがわかってくる。「参ろうや、参ろうや、パライソの寺に参ろうや、パライソの寺は遠けれど」あの人もまた、今、自分が震えているこの恐怖を噛《か》みしめたのだという事実だけが、今の彼にはかけがえのない支えだった。自分だけではないという嬉しさ。この海でも杭《くい》に縛られたあの二人の日本人の百姓が、まる一日同じ苦しみを味わいながら、「遠いパライソの寺に参って」いった。自分がガルペや彼等とつながり、更に十字架上のあの人と結びあっているという悦びが突然、司祭の胸を烈しく疼《うず》かせた。あの人の顔はこの時、かつてないほどいきいきとしたイメージを伴って彼に迫ってきた。苦しんでいる基督、耐えている基督。その顔に自分の顔はまさに近づいていくことを彼は心から祈った。

役人たちが鞭《むち》をあげて群集の一部を両側に追いやった。蝿のように集まっていた彼等は温和《おとな》しく押し黙り、不安な眼で帰路につく一行を見送った。午後はようやく終り、夕暮の光と溶けあい、坂路の左にある大きな赤い寺の屋根がキラキラと輝いた。町のすぐむこうに見える山がひときわはっきり浮びあがる。この時も、馬糞と小石とが飛んできて司祭の頬にあたった。

馬の横を歩きながら通辞は、諭すように幾度もくりかえした。

「なあ、悪いことは言わぬ。転ぶとただ一言、言うてくれ。たのむ。もうこの馬はお前のおった牢《ろう》には戻らぬ」

「どこへ連れていくのです」

「奉行所だ。わしはお前を苦しめたくはない。たのむ、悪いことは言わぬ。一言、転ぶと言うてくれぬか」

司祭は唇をかんだまま裸馬の背で黙っていた。頬から流れた血が顎を伝わっていった。通辞はうつむき、片手を馬の腹に当てながら寂しそうに歩きつづけた。

背中を突かれて真暗な囲いに足を入れると、突然、悪臭が鼻をつきあげてきた。尿の臭いである。床はその尿にすっかり濡れているので、しばらく吐き気がおさまるまでじっとしていた。やがて壁と床とが闇の中でどうやら見わけられるようになり、その壁に手をあてながら歩きだすとすぐ別の壁にぶつかった。両手をひろげてみると両側の壁が同時に指さきにふれる。こうしてこの囲いの大きさを知ることができた。

耳をすましたが、話声は聞えぬ。ここが奉行所の何処《どこ》にあたるのか見当もつかぬ。しかし物音一つないところを見ると、近くには誰もいないらしかった。壁は木材で上をなぜてみると何か深い切れ目が指先に感ぜられ、始めそれを木と木のつなぎ目かと思ったがそうではなく何かの模様のように思われた。更にそれをなぞるうちにLという字だということが段々わかってきた。次にAという字もあった。LAUDATE EUM（讃《たた》えよ、主を）司祭は盲人のようにそのまわりを掌でさすったがこの字の外にもう何も指先に触れなかった。おそらく一人の宣教師がここに投げこまれ、次に来る者たちにラテン語で壁に字を彫りつけておいてくれたのだろう。たしかなことはその宣教師がここに居る間は決して転びもせず信仰に燃えていたことである。この事実は闇の中で一人ぽっちになった司祭を急に泣きたいほど感動させた。最後まで自分が何らかの形で守られているような気持がしたのである。

今が真夜中の何時頃なのかわからない。街を引きまわされた後、奉行所につれてこられて長い間通辞と見知らぬ役人とが今までと同じような問いを繰りかえして訊ねた。どこから来たのか。所属する会はどこか。澳門には、何人宣教師たちがいたか。しかし彼等はもう棄教を奨めることはしなかった。通辞さえもさきほどとはがらりと違ってもう表情のない事務的な顔で役人の言う言葉を通訳した。それを別の役人が大きな紙に書きこむ。この愚劣な取調べがすんだあと、ここに連れてこられたのである。

LAUDATE EUM 壁に顔を押しあて彼は例のようにあの人の顔を心の中に思い描く。青年が遠い旅先で親友の顔を思い描くように、司祭は昔から孤独な瞬間、基督の顔を想像する癖があった。だが捕えられてから――特にあの雑木林の葉ずれの音が聞える夜の牢舎ではもっと別の欲望からあの人の顔をまぶたの裏に焼きつけてきた。その顔は今もこの闇のなかですぐ彼の間近にあり、黙ってはいるが、優しみをこめた眼差《まなざ》しで自分を見つめている。（お前が苦しんでいる時）まるでその顔はそう言っているようだった。（私もそばで苦しんでいる。最後までお前のそばに私はいる）

司祭はこの顔と共にガルペのことを思い出した。（もうすぐ、ガルペともう一度一緒になれるだろう）小舟を追いかけ海に沈んだあの黒い頭は、夜、夢の中で時々見ることがあった。そのたびごとに信徒たちを見棄てた自分がたまらなく恥ずかしかった。時には彼はその恥ずかしさに耐えかねてガルペのことは考えまいとした。

遠くで何か声がする。二匹の犬が争っているような唸《うな》り声で、耳をすますとその声はすぐ消え、しばらくして、また長く続いた。司祭は思わずひくい声をたてて笑った。だれかの鼾《いびき》だとわかったからである。

（酒を飲んで牢番が眠りこけているのだ）

鼾はしばらく続くとすぐ途切れ、高くなり低くなり、調子の悪い笛のように聞えた。自分がこの闇の囲いの中で死を前にして胸しめつけられるような感情を味わっている時、別の人間があのような呑気《のんき》な鼾をかいている事はなぜかたまらなく滑稽だった。人生にはどうしてこういう悪戯《いたずら》があるのだろう、と彼はまた小声で嗤《わら》った。

（通辞は自分が今夜、転ぶと断言したが、私のこの心のゆとりを知ったらな）

そう思うと司祭は壁から頭を少し離して思わず微笑を頬に作った。鼾をかいている牢番の屈託のなさそうな顔が眼に見えるようである。

「あの鼾では私が逃げ出すなどとは夢の中でも考えていまい」

逃亡の意志などは今更、毛頭なかったが、ただ気をまぎらわすために戸を両手で押してみると、閂《かんぬき》は外側からしっかりとしめられて、びくとも動かない。

死が間近に迫っているかもしれぬということは理窟《りくつ》ではわかっていたが、ふしぎに感情がそれに伴わなかった。

いや、死はやはり間近に迫っていた。鼾がやむと、凄まじい夜の静寂が司祭の周りを囲んだ。夜の静寂とはかすかな物音もたたぬということではなかった。闇が木立をかすめる風のように、死の怖ろしさを突然、司祭の心に運んできた。両手を握りしめて彼はあ、あっと大声で叫ぶ。すると怖ろしさは引潮のように去っていく。それからまた押し寄せる。懸命に主に祈ろうとしたが、心を途切れ途切れにかすめたのは、「血の汗を流した」あの人の歪んだ顔だった。今はあの人が自分と同じように死の恐怖を味わったという事実も、慰めとはならなかった。額を手でぬぐいながら、ただ気をまぎらわすために司祭は狭いこの囲いの中を歩きまわった。体を動かさないではいられなかったからである。

やっと人の声が遠くで聞えた。たとえそれが今から自分に拷問をかける獄吏でも、この刃のように冷たい闇よりもましだった。少しでもその声が聞えるように司祭は急いで戸口に耳を当てた。

声は誰かを罵っているようだった。罵り声に、哀願するもう一つの声が交る。遠くで立ちどまって言い争い、それからまたこちらに近づいてくる。司祭はこれらの声を耳にしながら全く別なことをなぜか不意に考えた。それは闇が人間を怖れさすのは、むかし光がなかった時の原始人たちの本能的な恐怖が我々にまだ残っているのだ——そんな馬鹿馬鹿しい考えだった。

「いわんちゃよか。早う去れ」一人の男が相手を叱りつけていた。「えっと、のぼすんな」すると叱られている男が泣くように叫んでいた。

「俺《おい》あ、切支丹じゃ、パードレに会わしてくいろお」

その声に聞き憶《おぼ》えがあった。キチジローの声である。「パードレに会わしてくいろさ」「やかまし。そげんすっぎんにゃ打《ぶ》ったくるぞ」「打ってくいろ、打ってくいろ」声はまるで紐《ひも》のようにからみあい、別の男がこれに加わる。「何者じゃ」「なんか、頭のおかしかとよ。昨日からここにたずねて参っておる乞食《こじき》じゃ。切支丹と申してな」

それからキチジローの声が突然大きくひびく。

「パードレさま。許して下され。あれからパードレさまにコンヒサンねがおうとこげんあとばつけてまいりました。許して下されやい」

「なんてわりゃ言いよっとや、えっとのぼすんな」

キチジローが獄吏にぶたれ、木の折れるような音がひびいた。

「パードレさま。許して下され」

司祭は眼をつぶって告悔の秘蹟《ひせき》の祈りを口の中で唱えた。舌の先に苦い味が残った。

「俺《おい》は生れつき弱か。心の弱か者には、殉教《マルチルノ》さえできぬ。どうすればよか。ああ、なぜ、こげん世の中に俺《おい》は生れあわせたか」

声は風の途切れるように切れ、また遠ざかる。五島に戻った時、信徒の人気者だったキチジローの姿が急にまぶたに浮んだ。迫害の時代でなければあの男も陽気な、おどけた切支丹として一生を送ったにちがいないのだ。「こげん世の中に……こげん世の中に」司祭は耳に指を入れ、犬の悲鳴のようなその声に耐える。

自分は先程キチジローのため許しの祈りを呟いたが、あの祈りは心の底から出たものではなかったと思う。あれは司祭としての義務から唱えたものだった。だから苦い食物の糟《かす》のようにこの舌の先にまだ残っている。キチジローにたいする恨みはもう消えてはいても、自分を売るためにあの男が食べさせた干魚の臭いや、焼きつくような渇きの思い出は記憶の中にふかく刻みこまれている。怒りや憎しみの感情は持っていないが軽蔑《けいべつ》の気持はどうしても拭い去ることはできない。

司祭は基督がユダに言ったあの軽侮の言葉をまた嚙みしめた。

だが、この言葉こそ昔から聖書を読むたびに彼の心に納得できぬものとしてひっかかっていた。この言葉だけではなくあの人の人生におけるユダの役割というものが、彼には本当のところよくわからなかった。なぜあの人は自分をやがては裏切る男を弟子のうちに加えられていたのだろう。ユダの本意を知り尽していて、どうして長い間知らぬ顔をされていたのか。まるでそれではユダはあの人の十字架のための操り人形のようなものではないか。

それに……それに、もしあの人が愛そのものならば、何故《なぜ》、ユダを最後は突き放されたのだろう。ユダが血の畠《はたけ》で首をくくり、永遠に闇に沈んでいくままに棄てておかれたのか。

それらの疑問は神学校の時も、司祭になってからも、沼にうかんでくるどす汚い水泡のように意識に浮びあがってきた。そのたびごとに彼はまるでその水泡が彼の信仰に影を落すもののように考えまいとした。だが今は、もう追い払うことのできぬ切実さで迫ってきている。

司祭は首をふって溜息《ためいき》をついた。最後の裁きの刻《とき》はやってくる。人は聖書のなかに書かれた神秘をすべて理解することはできぬ。だが司祭は知りたかった。知り尽したかった。「今夜、お前はたしかに転ぶだろう」と通辞は自信ありげに言った。まるで、ペトロにむかってあの人が言われたように。「今夜、鶏鳴く前に、汝《なんじ》三度我を否まん」黎明《しののめ》はまだ遠く鶏は鳴く時刻《とき》ではない。

おや、鼾がまた聞えはじめた。まるでそれは風車が風で廻っているようだ。尿でぬれた床に尻をおろし、司祭は馬鹿のように嗤った。人間とは何とふしぎなものだろう。あの高く低く唸っている愚鈍な鼾、無知な者は死の恐怖を感じない。ああして豚のようによく眠り、大きな口をあけて鼾をかくことができる。眠りこけている番人の顔が眼に見えるようである。それは酒やけがして、肥ってよく食べて、健康そのもので、そのくせ犠牲者にだけはひどく残忍な顔だろう。貴族的な残忍さではなく、人間が家畜や動物にもつ残忍さをその番人も持っているに違いない。自分はそんな男たちをポルトガルの田舎でもよく見て知っている。この番人も、自分がこれからやる行為がどんな辛さを他人に与えるか、毛の先ほども考えぬだろう。あの人を――人間の夢のなかで最も美しいものと善いものの結晶であるあの人を殺戮《さつりく》したのもこの種の人間たちだった。

だが、自分の人生にとって最も大事なこの夜、こんな俗悪な不協和音がまじっているのが不意に腹立たしくなってきた。司祭はまるで自分の人生が愚弄《ぐろう》されているような気さえして、嗤うのをやめると、壁を拳で叩きはじめた。番人たちはゲッセマネの園であの人の苦悩に全く無関心に眠りこけていた弟子たちのように起きなかった。司祭は更に烈しく壁をうち始めた。閂をはずす音がする。誰かが遠くから急ぎ足でこちらに近づいてくる。

「どうしたな。どうしたな。パードレ」

通辞だった。あの獲物を弄ぶ猫のような声で、

「怖ろしゅうなったな。さあさあ、もう強情を張らずともよいぞ。ただ転ぶと一言申せばすべてが楽になる。張りつめていた心がほれ、ゆるんで……楽に……楽に……楽になっていく」

「私はただ、あの鼾を」と司祭は闇の中で答えた。

突然、通辞は驚いたように黙ったが、

「あれを鼾だと。あれをな。きかれたか沢野殿、パードレはあれを鼾と申しておる」

司祭はフェレイラが通辞のうしろに立っているとは知らなかった。

「沢野殿、教えてやるがいい」

ずっと昔、司祭が毎日耳にしたあのフェレイラの声が小さく、哀《かな》しくやっと聞えた。

「あれは、鼾ではない。穴吊りにかけられた信徒たちの呻《うめ》いている声だ」

年とった獣のようにフェレイラはうずくまったまま身動きもしない。通辞は通辞で閂のきつく差しこんである戸に耳を当てて中の様子を長い間、窺《うかが》っている。だが、何時《いつ》まで待っても何も聞

えぬのがわかると、不安そうに嗄れ声で、

「まさか死んだのではあるまいな」舌打ちをして、「いやいや。切支丹にはデウスからもろうた命を己が手で断つことは許されぬ筈じゃった。沢野殿、あとはそちらの御役目だ」

うしろを向いて足音を鳴らしながら闇に去っていった。その足音がすっかり消えてしまったあともフェレイラは黙ったまま、うずくまって動かなかった。フェレイラの体が亡霊のようにうかんでいる。その体はまるで紙のようにうすく子供のように小さくみえた。掌で握りしめることさえできそうだった。

「なあ」と彼は戸口に口をあてて、「なあ。聞いているか」

返事がなかったので、フェレイラはもう一度、同じ言葉をくりかえした。

「その壁のどこかに……わしの彫った文字が、ある筈だが。LAUDATE EUM（讃えよ、主を）それが消えていなければ、右の壁の……そう、真中あたりに、触れてみないか」

だが内側からはかすかな応えもしなかった。司祭の閉じこめられた囲いの中には突き破ることのできぬ真黒な闇が溜《たま》っているようだった。

「ここに、わしは、お前と同じように」とフェレイラは一語一語くぎりながら言った。「ここに、わしはお前と同じように閉じこめられ、その夜はほかのどんな夜よりも寒くて暗く」

司祭は司祭で壁板に頭を強く押しつけたまま、老人の告白をぼんやりと聞いた。老人が言わなくても、その夜がどんなに真暗だったかは、もう、知りすぎるほど知っている。それよりも彼はフェレイラの誘惑を——自分と同じようにこの闇のなかに閉じこめられたことを強調して共感をひこうとするフェレイラの誘惑に負けてはならなかった。

「わしもあの声を聞いた。穴吊りにされた人間たちの呻き声をな」

その言葉が終るとふたたび鼾のような声が高く低く耳に伝わってきた。いや、もうそれは鼾のような声ではなく、穴に逆さに吊られた者たちの力尽きた息たえだえの呻き声だということが、司祭にも今ははっきりとわかった。

自分がこの闇のなかでしゃがんでいる間、だれかが鼻と口とから血を流しながら呻いていた。自分はそれに気がつきもせず、祈りもせず、笑っていたのである。そう思うと司祭の頭はもう何が何だかわからなくなった。自分はあの声を滑稽だと思って声をだして笑いさえした。自分だけがこの夜あの人と同じように苦しんでいるのだと傲慢《ごうまん》にも信じていた。だが自分よりももっとあの人のために苦痛を受けている者がすぐそばにいたのである。（どうしてこんな馬鹿なことが）頭の中で、自分のではない別の声が呟きつづけている。（それでもお前は司祭か。他人の苦しみを引きうける司祭か）主よ。なぜ、この瞬間まであなたは私をからかわれるのですかと彼は叫びたかった。

「LAUDATE EUM（讃えよ、主を）わしはその文字を壁に彫った筈だ」とフェレイラは繰りかえしていた。「その文字が見当らぬか。探してくれ」

「知っている」

怒りにかられて司祭は始めて叫んだ。

「黙っていなさい。あなたにはその言葉を言う権利はない」

「権利はない。たしかに権利はない。私はあの声を一晩、耳にしながら、もう主を讃えることができなくなった。私が転んだのは、穴に吊られたからでない。三日間……このわしは、汚物をつめこんだ穴の中で逆さになり、しかし一言も神を裏切る言葉を言わなかったぞ」フェレイラはまるで吼《ほ》えるような叫びをあげた。「わしが転んだのはな、いいか。聞きなさい。そのあとでここに入れられ耳にしたあの声に、神が何ひとつ、なさらなかったからだ。わしは必死で神に祈ったが、神は何もしなかったからだ」

「黙りなさい」

「では、お前は祈るがいい。あの信徒たちは今、お前などが知らぬ耐えがたい苦痛を味わっているのだ。昨日から。さっきも。今、この時も。なぜ彼等があそこまで苦しまねばならぬのか。それなのにお前は何もしてやれぬ。神も何もせぬではないか」

司祭は狂ったように首をふり、両耳に指をいれた。しかしフェレイラの声、信徒の呻き声はその耳から容赦なく伝わってきた。よしてくれ。よしてくれ。主よ、あなたは今こそ沈黙を破るべきだ。もう黙っていてはいけぬ。あなたが正であり、善きものであり、愛の存在であることを証明し、あなたが厳としていることを、この地上と人間たちに明示するためにも何かを言わねばいけない。

マストをかすめる鳥の翼のように大きな影が心を通りすぎた。鳥の翼は今幾つかの思い出を、信徒たちのさまざまな死を運んできた。あの時も神は黙っていた。霧雨のふる海でも沈黙していた。陽の真直ぐに照る庭で片眼の男が殺された時も物言わなかった。しかしその時、自分はまだ我慢することができた。我慢するというよりこの怖ろしい疑問をできるだけ遠くに押しやって直視しまいとした。けれども今はもう別だ。この呻き声は今、なぜ、あなたがいつも黙っているかと訴えている。

「この中庭では今」フェレイラは悲しそうに呟いた。「可哀想な百姓が三人ぶらさげられている。いずれもお前がここに来てから吊られたのだが」

老人は嘘を言っているのではなかった。耳を澄ますと一つのように聞えたあの呻き声が突然、別々なものになった。一つの声があるいは高くなり、低くなるのではなく、低い声と高い声は入り乱れてはいるが別の方向から流れてきた。

「わしがここで送った夜は五人が穴吊りにされておった。五つの声が風の中で縺《もつ》れあって耳に届いてくる。役人はこう言った。お前が転べばあの者たちはすぐ穴から引き揚げ、縄もとき、薬もつけようとな。わしは答えた。あの人たちはなぜ転ばぬかと。役人は笑って教えてくれた。彼等はもう幾度も転ぶと申した。だがお前が転ばぬ限り、あの百姓たちを助けるわけにはいかぬと」

「あなたは」司祭は泣くような声で言った。「祈るべきだったのに」

「祈ったとも。わしは祈りつづけた。だが、祈りもあの男たちの苦痛を和らげはしまい。あの男たちの耳のうしろには小さな穴があけられている。その穴と鼻と口から血が少しずつ流れだしてくる。その苦しみをわしは自分の体で味わったから知っておる。祈りはその苦しみを和らげはしない」

司祭は憶えていた。西勝寺で始めて会ったフェレイラの耳のうしろにひきつった火傷《やけど》の痕《あと》のような傷口があったことをはっきり憶えていた。その傷口の褐色の色まで今、まぶたの裏に甦ってきた。その影像を追い払うように、彼は壁に頭を打ちつづけた。

「あの人たちは、地上の苦しみの代りに永遠の悦びをえるでしょう」

「誤魔化してはならぬ」フェレイラは静かに答えた。「お前は自分の弱さをそんな美しい言葉で誤魔化してはいけない」

「私の弱さ」司祭は首をふったが自信がなかった。「そうじゃない。私はあの人たちの救いを信じていたからだ」

「お前は彼等より自分が大事なのだろう。少なくとも自分の救いが大切なのだろう。お前が転ぶと言えばあの人たちは穴から引き揚げられる。苦しみから救われる。それなのにお前は転ぼうとはせぬ。お前は彼等のために教会を裏切ることが怖ろしいからだ。このわしのように教会の汚点となるのが怖ろしいからだ」そこまで怒ったように一気に言ったフェレイラの声が次第に弱くなって、「わしだってそうだった。あの真暗な冷たい夜、わしだって今のお前と同じだった。だが、それが愛の行為か。司祭は基督にならって生きよと言う。もし基督がここにいられたら」

フェレイラは一瞬、沈黙を守ったが、すぐはっきりと力強く言った。

「たしかに基督は、彼等のために、転んだだろう」

夜が少しずつあけはじめてきた。今まで闇の塊だったこの囲いにもほの白い光がかすかに差しはじめた。

「基督は、人々のために、たしかに転んだだろう」

「そんなことはない」司祭は手で顔を覆って指の間からひきしぼるような声を出した。「そんなことはない」

「基督は転んだだろう。愛のために。自分のすべてを犠牲にしても」

「これ以上、わたしを苦しめないでくれ。去ってくれ。遠くに行ってくれ」

司祭は大声で泣いていた。閂が鈍い音をたててはずれ、戸が開く。そして開いた戸から白い朝の光が流れこんだ。

「さあ」フェレイラはやさしく司祭の肩に手をかけて言った。「今まで誰もしなかった一番辛い愛の行為をするのだ」

よろめきながら司祭は足を曳《ひ》きずった。重い鉛の足枷《あしかせ》をつけられたように一歩一歩、歩いていく彼をフェレイラがうしろから押す。朝方のうすあかりの中に彼の進む廊下はどこまでも真直ぐにのびていた。そしてその突きあたりに二人の役人と通辞とが黒い三つの人形のように立っていた。

「沢野殿。終ったかな。そうか。踏絵の支度をしてよいか。なに、御奉行にはあとで申しあげればよい」

通辞はだきすくめるように両腕にかかえていた箱を床において蓋をとり、中から大きな木の板をとりだした。

「お前は今まで誰もしなかった最も大きな愛の行為をやるのだから……」ふたたびフェレイラは先程と同じ言葉を司祭の耳もとに甘く囁《ささや》いた。「教会の聖職者たちはお前を裁くだろう。わしを裁いたようにお前は彼等から追われるだろう。だが教会よりも、布教よりも、もっと大きなものがある。お前が今やろうとするのは……」

踏絵は今、彼の足もとにあった。小波《さざなみ》のように木目が走っているうすよごれた灰色の木の板に粗末な銅のメダイユがはめこんであった。それは細い腕をひろげ、茨《いばら》の冠をかぶった基督のみにくい顔だった。黄色く混濁した眼で、司祭はこの国に来てから始めて接するあの人の顔をだまって見おろした。

「さあ」とフェレイラが言った。「勇気をだして」

主よ。長い長い間、私は数えきれぬほど、あなたの顔を考えました。特にこの日本に来てから幾十回、私はそうしたことでしょう。トモギの山にかくれている時、海を小舟で渡った時、山中を放浪した時、あの牢舎での夜。あなたの祈られている顔を祈るたびに考え、あなたが祝福している顔を孤独な時思いだし、あなたが十字架を背負われた顔を捕われた日に甦らせ、そしてそのお顔は我が魂にふかく刻みこまれ、この世で最も美しいもの、最も高貴なものとなって私の心に生きていました。それを、今、私はこの足で踏もうとする。

黎明《しののめ》のほのかな光。光はむき出しになった司祭の鶏のような首と鎖骨の浮いた肩にさした。司祭は両手で踏絵をもちあげ、顔に近づけた。人々の多くの足に踏まれたその顔に自分の顔を押しあてたかった。踏絵のなかのあの人は多くの人間に踏まれたために摩滅し、凹《へこ》んだまま司祭を悲しげな眼差しで見つめている。その眼からはまさにひとしずく涙がこぼれそうだった。

「ああ」と司祭は震えた。「痛い」

「ほんの形だけのことだ。形などどうでもいいことではないか」通辞は興奮し、せいていた。

「形だけ踏めばよいことだ」

司祭は足をあげた。足に鈍い重い痛みを感じた。それは形だけのことではなかった。自分は今、自分の生涯の中で最も美しいと思ってきたもの、最も聖《きよ》らかと信じたもの、最も人間の理想と夢にみたされたものを踏む。この足の痛み。その時、踏むがいいと銅版のあの人は司祭にむかって言った。踏むがいい。お前の足の痛さをこの私が一番よく知っている。踏むがいい。私はお前たちに踏まれるため、この世に生れ、お前たちの痛さを分つため十字架を背負ったのだ。

こうして司祭が踏絵に足をかけた時、朝が来た。鶏が遠くで鳴いた。

Ⅸ

この年の夏は、雨が少なかった。

夕なぎの時刻には、長崎の町全体がむし風呂のようになる。夕暮がくると湾の海で反射する光が余計に暑くるしさを感じさせた。街道から内町に入ってくる俵をつんだ牛車の輪が光り、白い埃《ほこり》がまいあがる。牛糞の臭いがこの頃どこに行っても臭った。

中旬、家々の軒先に燈籠《とうろう》がぶらさがった。大きな商家では同じ燈籠でも花卉《かき》や鳥虫を描いた角燈籠をつける。まだ日が暮れていないのに、気の早い子供たちが列をつくって歌っている。

提燈《ちょうちん》や、バイバイ、石投げたもんな、手の腐る
提燈や、バイバイ、石投げたもんな、手の腐る

彼はその唄を窓に靠《もた》れながら口ずさんだ。子供たちの唄は意味はわからなくてもどこか物悲しい節まわしがある。それは唄のせいか、それともそれを聞く心のせいかわからない。向い側の家で垂髪の女が、萱《かや》を敷いた棚の上に桃や棗《なつめ》や豆を供えている。精霊棚《しょうりょうだな》といって十五日の夜、各自

の家に戻ってくる先祖の霊を慰めるため日本人が行う行事の一つだが、今の彼にはもう珍しいものではなくなっていた。フェレイラからもらったが、日葡《にっぽ》辞書をみると、この盆祭のことを het-sterffest と訳していたことを何となく思い出す。

列を作って遊んでいた子供たちは、格子窓に靠れた彼を見て、転びのポウロと口々にはやしてる。中には小石を投げつけようとする者もあった。

「悪か子じゃ」

垂髪の女がこちらを向いて叱ったので子供たちは逃げ去った。それを彼は寂しそうに微笑しながら見送った。

司祭はふと基督教の万霊節《トウサン》の夜のことを考える。万霊節はいわば基督教の盆祭のようなものだったし、夜になるとリスボンの家々の窓に蠟燭《ろうそく》の火をともすところも、この国の盆とよく似ていた。

彼の家は外浦町にあった。長崎に多い細い坂路《さかみち》の一つで両側には家々が覆いかぶさるように並んでいる。すぐ裏は桶屋《おけや》町という桶屋職人の住む通りだったから終日乾いた木槌《きづち》の音がとんとんと聞えてきた。紺屋職人たちの町も反対側にあり、晴れた日には旗のように藍色《あいいろ》の布が風になびいている。どの家も板葺《いたぶ》きか萱葺きで丸山附近の繁華な通りにある瓦屋根の商家はほとんどない。

許可なく自由に外出することは奉行所から許されていなかった。暇な時はただ、窓に靠れて道ゆく人々を眺めるのがただ一つの慰めである。朝には頭に野菜の籠を載せた女たちがここを通って町に行く。昼には痩《や》せた馬に荷をつけた下帯一つの男たちが大声で唄を歌いながら通過していく。夕方には坊主が鈴をならしながら坂をおりていく。そうした日本の風景の一つ一つを彼はまるでいつか故国の誰かに教えてやるためのように食い入るような眼で見つめる。だがもはや二度とその故国には戻れぬ自分にふと気がつくと、苦い諦めの笑いがゆっくり、こけた頰にうかぶ。

そんな時、それがどうしたという捨てばちな感情が胸に湧いてくる。澳門《マカオ》やゴアの宣教師たちが既に自分が転んだことを知ったかどうかはわからない。しかし、長崎の出島に居留を許されているオランダの貿易商人たちによって事の経過は澳門にもおそらく伝わり、自分はもう布教会から追放されているだろう。

自分は布教会から追放されているだけではなく、司祭としてのすべての権利を剝奪《はくだつ》され、聖職者たちからは恥ずべき汚点のように見なされているかもしれぬ。だがそれがどうした。それが何だというのだ。私の心を裁くのはあの連中たちではなく、主だけなのだと彼は唇をつよく嚙みながら首をふる。

だが、真夜中、その想像が不意に彼の眼をさまし、鋭い爪の先で胸の芯《しん》を目茶目茶にかきむしることがあった。そして思わず呻き声をあげて布団からとびあがる。教会裁判の状況は、まるで黙示録に出てくる最後の審判のように眼前に迫ってくるのだ。

(何がわかるか。あなたたちに)

ヨーロッパにいる澳門の上司たちよ。その連中に向って彼は闇のなかで抗弁をする。あなたたちは平穏無事な場所、迫害と拷問との嵐が吹きすさばぬ場所でぬくぬくと生き、布教している。あなたたちは彼岸にいるから、立派な聖職者として尊敬される。烈しい戦場に兵士を送り、幕舎で火にあたっている将軍たち。その将軍たちが捕虜になった兵士をどうして責めることができよう。

（いや。これは弁解だ。私は自分を誤魔化している）司祭は首を弱々しくふった。（なぜ卑しい抗弁を今更やろうというのだ）

私は転んだ。しかし主よ。私が棄教したのではないことを、あなただけが御存知です。なぜ転んだと聖職者たちは自分を訊問《じんもん》するだろう。穴吊りが怖《おそ》ろしかったからか。そうです。あの穴吊りを受けている百姓たちの呻き声を聞くに耐えなかったからか。そうです。そしてフェレイラの誘惑したように、自分が転べば、あの可哀想な百姓たちが助かると考えたからか。そうです。でもひょっとすると、その愛の行為を口実にして自分の弱さを正当化したのかもしれませぬ。

それらすべてを私は認めます。もう自分のすべての弱さをかくしはせぬ。あのキチジローと私とにどれだけの違いがあると言うのでしょう。だがそれよりも私は聖職者たちが教会で教えている神と私の主は別なものだと知っている。

あの踏絵の記憶は司祭の目ぶたの裏に焼きつくように残っていた。通辞が自分の足もとにおいた木の板。そこに銅版がはめこまれ、銅版には日本人の細工師が見よう見まねで作ったあの人の顔が彫られていた。

それは今日まで司祭がポルトガルやローマ、ゴアや澳門で幾百回となく眺めてきた基督の顔とは全くちがっていた。それは威厳と誇りとをもった基督の顔ではなかった。美しく苦痛をたえしのぶ顔でもなかった。誘惑をはねつけ、強い意志の力をみなぎらせた顔でもなかった。彼の足もとのあの人の顔は、痩せこけ疲れ果てていた。

多くの日本人が足をかけたため、銅版をかこんだ板には黒ずんだ親指の痕が残っていた。そしてその顔もあまり踏まれたために凹み摩滅していた。凹んだその顔は辛そうに司祭を見あげていた。辛そうに自分を見あげ、その眼が訴えていた。（踏むがいい。踏むがいい。お前たちに踏まれるために、私は存在しているのだ）

毎日、彼は乙名《おとな》や町内の組頭によって監視されていた。乙名というのは町の代表のことである。乙名は月に一度、衣服を改めて彼をつれ、奉行所に伺うことになっている。

時にはまた、奉行所の役人から乙名を通して呼び出しのかかることもあった。奉行所の一室で役人たちには鑑別できぬ品物を見させられ、これが切支丹のものか否かを教えてやるのが彼の仕事である。澳門からくる唐人たちの物品のうちにはさまざまなふしぎなものがあったから、それが禁制の基督教の品物かどうかをすぐ区別できるのはフェレイラか、彼かのどちらかだったのである。この仕事が終ると奉行所からは労《ねぎら》いの意味で菓子や金を賜わった。

本博多町の奉行所に行くたびあの通辞や役人たちは慇懃《いんぎん》に彼を迎えた。辱《はずか》しめられたり、罪人扱いをされることは一度もなかった。通辞はまるで彼の過去はすっかり記憶にないような振りをする。こちらもこちらで、何事も自分には起らなかったかのように微笑してみせる。だが両者がお互いに触れることを避けている思い出はやはり奉行所に足をふみ入れた瞬間から焼鏝《やきごて》を当てられたような痛みを心に与える。特に彼は控えの間に通されるのが嫌だった。ここからは中庭を隔てて暗い廊下が見えるからである。あそこで自分はあの白い朝方、フェレイラに抱きかかえられるようにしてよろめいたのだ。だから彼はあわてて眼をそらせる。

そのフェレイラとも、自由に会うことは禁じられていた。フェレイラが西勝寺にちかい寺町に住んでいることは知っていたが、訪問することもまた訪問を受けることも許されていなかった。顔を合わすのは、ただ奉行所に乙名に伴われて出かける時だった。こちらと同じように向うの乙名につれられてやってくる。彼もフェレイラも奉行所でもらった着物を着せられ、乙名にもわかるように奇妙な日本語で言葉みじかに挨拶するだけだった。

奉行所で表面的には打ちとけたように見せかけてはいるが、フェレイラにたいする感情は口では言いあらわせなかった。それは人間がもう一人の人間にもつあらゆる感情をふくんでいた。憎《ぞう》悪《お》の念と侮蔑の念を向うもこちらもたがいに抱きあっていた。少なくとも彼がフェレイラを憎んでいるとすれば、それはこの男の誘惑によって転んだためではなく（そんなことをもう少しも恨みも憤りもしていなかった）このフェレイラの中に自分の深傷《ふかで》をそのままみつけることができるからだった。鏡の中にうつる自分のみにくい顔を見ることに耐えられないように、眼の前に坐っているフェレイラは自分と同じように日本人の着物を着せられ、日本人の言葉を使わせられ、自分と同じように教会から追われた男だった。

「はははは」とフェレイラは役人にむかって卑屈な笑い声をいつもたてていた。「オランダ商館のルコックはもう江戸に参りましたかな。先月出島に赴きました折、さよう申しておりましたが」

彼はフェレイラの嗄《しわが》れた声とくぼんだ眼とそして肉のおちた肩を黙ってみつめる。その肩に陽が落ちていた。あの西勝寺で彼と始めて会った時も、この肩に陽差しがあたっていた。
フェレイラにたいする気持は侮蔑と憎しみだけではない。そこには同じ運命を共有していると いう連帯感と自己憐憫《れんびん》をふくんだ憐《あわ》れみの感情も加わっていた。自分達は醜い双生児に似ていると、フェレイラの背中を見つめながらふと思う。おたがいその醜さを憎み、軽蔑しあい、しかし離れることのできない双生児、それが自分と彼とである。

奉行所の仕事が終るのはたいてい黄昏刻《たそがれどき》だった。蝙蝠《こうもり》が門と樹の間をかすめて、うるんだ紫色の空に飛んでいく。乙名たちはそれぞれ眼くばせをしあい、自分たちが責任をもっているこの異人をつれて右、左に別れていく。歩きながら彼はそっとフェレイラをふりかえる。フェレイラもこちらをふりかえっている。来月まで二人はもう会うことはない。会っておたがいの孤独をさぐりあうこともできない。

長崎出島オランダ商館員ヨナセンの日記より

一六四四年七月（正保元年六月）

七月三日　支那ジャンク三隻、出帆。五日にリロを出航させる許可を得たため明日は銀、軍需品その他の雑品を船に運び準備一切を終らねばならないだろう。

七月八日　商人、金銭鑑定人、家主たち、四郎衛門殿と最後の決算をなし、またオランダ、コロマンデル海岸やシャム向けの品々を次期まで調えるための注文書を商館長の命令で書く。

七月九日　当地の一市民の家で、聖母像が発見されたため、同家の人たちは直ちに投獄され、取調べを受けた。その結果、売主が捜し出されて吟味を受けた。その吟味には背教のパードレ沢野忠庵、及び、同じ背教したポルトガルのパードレ・ロドリゴも立ちあったと言うことである。三カ月前、当地の一市民の家で一ペニング貨に聖徒の像を彫ったものが発見され、家族は全員捕縛、転ぶよう拷問を受けたが、棄教を拒絶したという。立ちあった背教のポルトガルのパードレ・ロドリゴは彼等の助命をしきりに奉行所に乞うたが聞き入れられず、死刑を宣告され、夫婦と息子二人は頭を半分に剃《そ》られ、痩せ馬に乗せられて四日間町を引き廻されたそうだ。夫婦は先日、逆さ吊りの刑に処せられ、息子たちはこれを見せられた後、再び牢に入れられたという。

夕方、支那ジャンク一隻、入港。積荷は砂糖、磁器、少量の絹織物である。

八月一日　支那ジャンクが一隻、雑貨を積んで福州から到着、十時頃見張番が長崎湾外約六マイルの所に帆船一隻を認めた。

八月二日　朝、前記の船の荷揚げに着手し、好く進行した。

正午頃、奉行の書記官と次席たちが通辞一同と余の室に来て、二時間にわたり訊問を行った。それは長崎にいる背教の沢野忠庵とポルトガルの背教司祭ロドリゴが、オランダ船でパードレをインドから日本に送ることを澳門《マカオ》で決定した由語ったためである。沢野によればパードレたちはオランダ人に使われて船の微賤《びせん》な仕事をしながら日本に潜伏する方法を今後とるであろうと言うのである。若《も》しこのような事態が起れば会社は非常な苦境に陥るであろう、と書記官は我らに警告し、注意を促した。また今後我らの船で日本に来、厳重な警戒のため潜入できず我らの船で去ろうとするパードレが捕えられることがあれば、それもオランダ人の破滅となるであろう。オランダ人は陛下及び日本の臣僕と自称するゆえ、日本人同様の刑罰を受けねばならぬと述べ、奉行から余に交付される左記日本文の覚書を渡した。

覚書の訳文

博多の王が逮捕したパードレ沢野は、最高官憲にオランダ人の中にも、オランダ国にも多数のローマ教徒があることを言明した。またカンボジアでオランダ人たちがパードレの家に行き、同宗派の告白をしたこと、パードレたちが欧洲で会社の使用人または船員になり、会社の船に乗って日本の長崎に渡航する決議をしたと言う。奉行所はこれを信ずることができず、ポルトガル人及びイスパニヤ人はオランダ人の大敵であるゆえ、不利に陥れようとして、このようにいうのであろうと言ったが、沢野忠庵は断じて虚言でなく、事実であると答えた。右の理由で奉行は、乗組員中にローマ教徒がいないか明らかにすることをカピタンに厳命する。若し居ることが明らかになった時は報告せよ、将来オランダの船でローマ教のキリシタンが日本に渡ることがあり、これを奉行に報告しなかったことが判れば、カピタンは非常な苦境に立つであろう。

八月三日　前記の船の荷揚げを夕方、全部終った。本日奉行は同船に臼砲《きゅうほう》の操縦ができる砲術師はいないか尋ねたので、商務員補パウルス・フェールを船に遣わして調べさせたが一人もいないことが判り、この旨報告。奉行は更に、今後来る諸船にもいないか尋ね、若しいたらば報告するよう命じた。

八月四日　朝、奉行所の上級武士である本庄殿が船におもむき、隅々まで厳重に調べた。今回このように厳重に取り調べたのは、長崎にいる元パードレたちが、オランダ人中にローマ教徒があり、オランダ船で渡航することを最高官憲に言明したためである。若し前記の新たな疑惑がなければ、去年よりは取調べを緩めたであろうと述べ、船の士官たちにも説明した。余は彼らの請いに任せ、船に行き彼ら立合いの上で乗組員に対し、ローマ教に関する物を隠匿した者があれば、咎《とが》をうけることはないゆえ出すように諭したところ、一同何もないと答えたので、船員の守るべき法令を読み聞かせた。本庄殿が話の内容を知りたいと言ったので、詳細に話したところ、彼らはこれを奉行に報告し安心させようと述べて帰っていった。

八月七日　前に述べた死刑に処せられた父母の子二人は、他の一人と共に縛られて瘦せ馬に乗り、刑場に引かれ斬首された。

夕方、泉州から支那ジャンクが到着。積荷は主として紗綾《さや》、綸子《りんず》、縮緬《ちりめん》その他織物で、価額八十貫目と評価されたもの、その他砂糖及び雑貨。

一六四五年（正保二年十一月・十二月）

十一月十九日　支那ジャンク一隻が、白生糸、紗綾、綸子、ギレム、きんらん、どんす等八百乃《ない》至《し》九百貫の商品を積んで南京《ナンキン》から来て、一カ月半か二カ月後には積荷の多いジャンクが三、四隻来ると言い、同地では大官に、積荷に応じて百乃至六百テールを納めれば、自由に日本渡航を許されると話した。

十一月二十六日　小ジャンクが一隻サンチェウ（漳州か）から麻布、明礬《みょうばん》、壺等の評価二箱以上の荷を積んで来航した。

十一月二十九日　朝通辞二人が奉行から頼まれて来館し、マリアの図の下にオランダ文で「めでたし聖寵《せいちょう》みちみてる者よ、主爾《なんじ》と共に在《いま》す。爾は女の中《うち》にて祝せられ」（ルカ伝第一章二十八節）とあるのを示し、下関附近の坊主から得たものであるが、これは何語であるか、また、その意味は何であるかと尋ねた。棄教のポルトガルのパードレ・ロドリゴ及び沢野忠庵は、ラテン語、ポルトガル語でもイタリア語でもないゆえ、言葉の意味は判らぬと言った。これはオランダ語のアベ・マリアで、同じ言葉を話すフランデル人の印刷したものである。この絵は我が船で来たものであることは疑いないが、更に尋ねられるまで黙することにし、数字についてはパードレ・ロドリゴ及び沢野忠庵が説明したと思われるので真実の答えをしておいた。

十一月三十日　快晴、早朝舵《かじ》と火薬を船に運び、残り荷物の積込みを終った。正午船に行って点呼を終り、書類を渡した後帰館、ボンジョイらを酒肴《しゅこう》で饗《もてな》した。夕刻前に風は西北となり、オーフェルスヒー号は出帆しなかった。

十二月五日　正午頃通辞が来て、我らの輸入品の仕入れ地を尋ねたので、支那とオランダとが大部分の供給地であると答えた。これは支那人の来航が絶えても、支障はないか調べたのである。

余は日本に来た時から背教パードレたちの事を知ろうと努めたが、荒木トマスという日本人は長くローマに滞在し、法王の侍従を勤めたこともあり、前に数回キリシタンであることを自訴したが、奉行は、彼が老年のために精神錯乱したのであると考えて放置し、その後一昼夜穴で吊《つる》された後、教えをすてたが、心中には信仰を失わず死亡した。今は二人のみ生存しているが、一人は忠庵というポルトガル人で元当地の耶蘇《やそ》会の長であったが、その心は腹黒い。他の一人はポルトガル、タスコ生れの司祭ロドリゴで、これも奉行所で踏絵を踏んだ。二人とも現在、長崎に住んでいる。

十二月九日　皇帝並びに筑後殿宛の品と同じ油薬各種、その他薬品入りの小箱を三郎左衛門殿に呈したが、喜んで受納された。添付の目録には一つ一つの効能を日本文で書いて届けたので、奉行は非常に喜んだという。夕刻福州船一隻入港。

十二月十五日　支那ジャンク五隻出帆。

十二月十八日　支那ジャンク四隻出帆。南京のジャンクの乗組員の中《うち》四、五人が、支那ジャンクに乗ってトンキンか交趾《こうち》に行くことを願ったが、奉行は許さなかった。

島の家主の一人は、背教者忠庵がオランダ人やポルトガル人について色々な事を書面に認《したた》めて、近い中に宮廷に発送しようとしていると聞いた由。会社が迷惑を受けることの無いためには、この神を忘れた悪漢の死を望むほどであるが、神は我らを嫌疑から保護し給うであろう。午後日本船が二艘《そう》商館の前に着いた。一艘には我らが乗り、他の一艘にはらくだを載せて出発するためである。夕刻、通辞らが上方に同行すべき僕《しもべ》たちと共に来館。その中一人は少しオランダ語の話せる洗濯夫で、余は彼が当分賄方《まかないかた》として同行することを希望したが、伝兵衛と吉兵衛とは、奉行がオランダ語を話す人の同行を禁止されたと言った。余は信ぜず、彼らが自分たちの思うままに事を運ぶために反対するのであると考え、我らは日本語とオランダ語だけで足り、国語の中で嫌うべきはポルトガル語であって、オランダ語ではない。オランダ語を話すキリシタンは一人もなかったが、ポルトガル語のキリシタンは何時《いつ》でも数十人を挙げられると言った。

十二月二十三日　福州の小ジャンク一隻出帆。夕刻支那の大ジャンクが一隻、湾の前に到着し、逆風のため夜中に多くの漕船《そうせん》で長崎まで曳《ひ》かれた。太鼓、チャルメラなどで大きな音を立て、絽布《ろふ》の旗旒《きりゅう》を多数掲げ多くの人が乗っていた。

元日には長崎の街では男がチャルメラを吹きならし、銅鑼《どら》を打ち片張太鼓を打ちながら家々をまわり歩く。女、子供たちは門口でその男に小銭を与える。

船津や蚊喰原《かくいばら》あたりの非人たちが二人、三人、組をつくって編笠をかぶり門口でヤアラという唄を歌いまわるのもこの日である。

正月二日。商家では商《あきない》初めとて未明から店を飾り、新しい暖簾《のれん》をかけた。俵子《とうらご》売りと呼ばれる海鼠《なまこ》をひさぐ行商人が、それらの商家に一軒一軒寄っていく。

正月三日。各町の町年寄が奉行所に踏絵の板を申請にやってくる。

踏絵が市民にたいして行われるのは四日からである。この日、江戸町、今魚町、船津町、袋町などの乙名や組頭が奉行所から踏絵の板をそれぞれ受けとり、各戸ごとに宗旨踏絵帳に照らしあわせる。どの家も道を清掃して静かに乙名と組頭が来るのを待っている。やがて遠くで、「お出でえ――」という歌うような知らせの声が聞えると、それぞれの家では上り口に近い部屋に家族の者が一列に並んでこの行事の行われるのをじっと待った。

踏絵はおおむね板の長さ七寸から八寸、幅は四寸から六寸の板に聖母や耶蘇《イエス》像をはめこんである。まず主人が踏み、女房が踏み、それから子供たちが踏む。赤ん坊は母親がだいて踏ませた。病人があれば役人立合いの上、寝させたまま踏絵に足をふれさせた。

この四日、彼は奉行所から突然呼出しを受けた。通辞が駕籠《かご》を運ばせてきたのである。風はないが空はどんよりと曇り、寒さもかなりきびしい日で、坂道は踏絵の式があるせいか昨日までとは打って変ったように静まりかえっていた。本博多町の奉行所でもさむざむとした板の間に裃《かみしも》をつけた役人が一人、彼を待っていた。

「御奉行様が待っておられる」

鉄の手あぶり一つ置いた座敷に、筑後守《ちくごのかみ》は端坐していた。跫音《あしおと》をきくと、こちらにあの耳の大きな顔をむけて司祭をじっと見つめた。頬と唇のあたりに微笑がうかんだが、眼は少しも笑ってはいなかった。

「めでたいの」と筑後守はしずかに言った。

転んでから、彼が奉行に対面するのは始めてだった。しかし、今の彼にはこの男にもう屈辱感を感じなかった。自分が闘ったのは筑後守を中心とする日本人ではなかった。自分が闘ったのは自分自身の信仰にたいしてだったと次第にわかってきたのだ。しかし、そのことを筑後守は決して理解はしないだろう。

「久しぶりであったな」手あぶりに両手をさしのべ筑後守はうなずくと、「すっかり長崎になじまれたであろうが」

奉行は司祭に、なにか不自由なものはないか、不自由なものがあれば遠慮なく奉行所に申し出るがいいとも言った。奉行が、自分が転んだことを話題にしないように努めているのがよくわかる。それが思いやりからなのか、それとも勝者の自信から出ているのか、伏せた眼を時々あげて司祭は相手の顔を窺う。だが表情のない老人の顔からは何もわからない。

「一カ月たてば江戸に参り、住まうがよい。パードレのため邸も用意してある。もと余が住んでいた小日向《こびなた》町の邸だが」

筑後守は意識してか、パードレという言葉を使ったが、この言葉は司祭の皮膚を鋭く刺した。

「それにな、日本に生涯おられる以上、今後日本名を名のられるがよかろう。幸い、死んだ男で岡田三右衛門と申すものがあった。江戸に来られたら、そのままこの名をつけるがよい」

この言葉も奉行は手あぶりの上で両手をこすりながら一気に言った。

「死んだその男には女房がある。パードレもいつまでも一人では不便であろうゆえ、その女房をもらわれるかな」

司祭はこれらの言葉をうつむいて聞いていた。まぶたの裏に傾斜が想いうかぶ。その傾斜を今、自分はどこまでも滑っていく。反抗しても断っても、もう駄目である。日本人の名を名のるのはともかく、その妻をめとらされるとは思ってもいなかった。

「どうかな」

「よろしゅうございます」

彼は肩をすぼめてうなずいた。疲労とも諦《あきら》めともつかぬ感情が、今の自分を支配している。

（あなたはすべての屈辱を受けられたから、あなただけが今の私の心をわかって下さればよい。たとえ、信徒や聖職者たちが私を布教史の汚点と見ようとも、そんなことはもうどうでもよいのだ）

「いつぞや、こう申したことがあるな。この日本国は、切支丹の教えはむかぬ国だ。切支丹の教えは決して根をおろさぬと」

司祭は西勝寺でフェレイラが言った同じ言葉を思いだしていた。

「パードレは決して余に負けたのではない」筑後守は手あぶりの灰をじっと見つめながら、「この日本と申す泥沼に敗れたのだ」

「いいえ私が闘ったのは」司祭は思わず声をあげた。「自分の心にある切支丹の教えでございました」

「そうかな」筑後守は皮肉な笑いをうかべた。「そこもとは転んだあと、フェレイラに、踏絵の中の基督《キリスト》が転べと言うたから転んだと申したそうだが、それは己《おの》が弱さを偽るための言葉ではないのか。その言葉、まことの切支丹とは、この井上には思えぬ」

「奉行さまが、どのようにお考えになられてもかまいませぬ」

司祭は両手を膝《ひざ》の上にのせてうつむいた。

「他の者は欺けてもこの余は欺けぬぞ」筑後守はつめたい声で言った。「かつて余はそこもとと同じ切支丹パードレに訊《たず》ねたことがある。仏の慈悲と切支丹デウスの慈悲とはいかに違うかと。どうにもならぬ己れの弱さに、衆生がすがる仏の慈悲、これを救いと日本では教えておる。だがそのパードレは、はっきりと申した。切支丹の申す救いは、それと違うとな。切支丹の救いとはデウスにすがるだけのものではなく、信徒が力の限り守る心の強さがそれに伴わねばならぬと。してみるとそこもと、やはり切支丹の教えを、この日本と申す泥沼の中でいつしか曲げてしまったのであろう」

基督教とはあなたの言うようなものではない、と司祭は叫ぼうとした。しかし何を言っても誰も――この井上も通辞も自分の今の心を理解してくれまいという気持が、言いかけた言葉を咽喉《のど》に押しもどした。膝の上に手をおいて、彼は目をしばたたいたまま、奉行の話をだまって聞いていた。

「パードレは知るまいが、五島や生月《いきつき》にはいまだに切支丹の門徒衆と称する百姓どもがあまた残っておる。しかし奉行所ではもう捕える気もない」

「なぜでございます」と通辞が聞くと、

「あれはもはや根が断たれておる。もし西方の国々からこのパードレのようなお方が、まだまだ来られるなら、我々も信徒たちを捕えずばなるまいが……」と奉行は笑った。「しかし、その懸念もない。根が断たれれば茎も葉も腐るが道理。それが証拠には、五島や生月の百姓たちがひそかに奉じておるデウスは切支丹のデウスと次第に似ても似つかぬものになっておる」

頭をあげて司祭は筑後守の顔を見た。微笑は頬と口との周りに作られていたが眼は笑っていなかった。

「やがてパードレたちが運んだ切支丹は、その元から離れて得体の知れぬものとなっていこう」

そして筑後守は胸の底から吐き出すように溜息《ためいき》を洩らした。

「日本とはこういう国だ。どうにもならぬ。なあ、パードレ」

奉行の溜息には真実、苦しげな諦めの声があった。

菓子を賜わり、礼を申しのべて通辞と退出をした。空は相変らずどんよりと曇り、道は寒い。駕籠にゆられながらその鉛色の空の下に同じような色をして拡がっている海をぼんやり眺めた。自分は近く江戸送りになる。邸を与えられると筑後守は言ったが、それはかねがね聞いていた切支丹牢に入れられることだろう。そしてその牢で自分は生涯を送るだろう。もはやあの鉛色の海を渡って故国に戻ることはあるまい。布教とはその国の人間になりきることだとポルトガルにいた頃、考えていた。自分は日本に行き日本人信徒と同じ生活をするつもりだった。それがどうだ。その通り、岡田三右衛門という日本人の名をもらい、日本人になり……。

(岡田三右衛門か)

彼はひくい声を出して嗤《わら》った。運命は彼が表面的に望んでいたものをすべて与えた。陰険に皮肉に与えてくれた。終生不犯《ふぼん》の司祭であった自分が妻をもらう。(私はあなたを恨んでいるのではありません。私は人間の運命にたいして嗤っているだけです。あなたにたいする信仰は昔のも

のとは違いますが、やはり私はあなたを愛している)

夕暮まで窓に靠れて、彼は子供たちを眺めていた。子供たちは凧《たこ》につけた糸を持って坂を走りまわるが、風がないために凧はただ地面に引きずられる。

夕暮になって雲が少し割れ、弱々しい陽がさした。凧あそびにあきた子供たちは門松につけた竹を手に手にもち、家々の門口を叩きながら唄を歌っている。

もぐら打ちゃ、科《とが》なし科なし
ボウの目、ボウの目、祝うて三度
イチマツボウ、ニイマツボウ
三マツボウ、四マツボウ

彼は小声でその子供の唄をまねてみた。よく歌えないので寂しかった。「もぐら打ちゃ、科なし科なし」目の見えぬくせに地面を這《は》いずりまわるあの愚かな動物が自分とよく似ているような気がする。向いの家で老婆が子供を叱りつけている。この老婆が毎日二度、食事を運んでくれるのである。

夜、風が吹いた。耳をかたむけていると、かつて牢に閉じこめられていた時、雑木林をゆさぶった風の音が思い出される。それから彼はいつもの夜のように、あの人の顔を心に浮べる。自分が踏んだあの人の顔を。

「パードレ。パードレ」

くぼんだ眼で記憶にある声の聞える戸を見つめると、

「パードレ、キチジローでございます」

「もうパードレではない」司祭は両膝を手でだきながら小声で答えた。「早う帰られるがよい。乙名殿に見つかると厄介なことになります」

「だがお前さまにはまだ告悔《コンヒサン》をきく力のおありじゃ」

「どうかな」彼はうつむいて、「私は転んだパードレだから」

「長崎ではな、お前さまを転びのポウロと申しております。この名を知らぬ者はなか」

膝小僧をかかえたまま司祭は寂しく笑った。今更、教えられなくても、そんな渾名《あだな》が自分につけられていることは前から聞いていた。フェレイラは「転びのペテロ」と呼ばれ、自分は「転びのポウロ」と言われている。子供たちが時々、家の門口に来て大声でその名をはやしたてることもあった。

「聞いて下され。たとえ転びのポウロでも告悔《コンヒサン》を聴問する力を持たれようなら、罪の許しば与えて下され」

(裁くのは人ではないのに……そして私たちの弱さを一番知っているのは主だけなのに)と彼は黙って考えた。

「わしはパードレを売り申した。踏絵にも足かけ申した」キチジローのあの泣くような声が続いて、「この世にはなぁ、弱か者と強か者のござります。強か者はどげん責苦にもめげず、ハライソに参れましょうが、俺《おい》のように生れつき弱か者は踏絵ば踏めよと役人の責苦を受ければ……」

その踏絵に私も足をかけた。あの時、この足は凹《へこ》んだあの人の顔の上にあった。私が幾百回となく思い出した顔の上に。山中で、放浪の時、牢舎でそれを考えださぬことのなかった顔の上に。人間が生きている限り、善く美しいものの顔の上に。そして生涯愛そうと思った者の顔の上に。その顔は今、踏絵の木のなかで摩滅し凹み、哀しそうな眼をしてこちらを向いている。（踏むがいい）と哀しそうな眼差《まなざ》しは私に言った。

（踏むがいい。お前の足は今、痛いだろう。今日まで私の顔を踏んだ人間たちと同じように痛むだろう。だがその足の痛さだけでもう充分だ。私はお前たちのその痛さと苦しみをわかちあう。そのために私はいるのだから）

「主よ。あなたがいつも沈黙していられるのを恨んでいました」

「私は沈黙していたのではない。一緒に苦しんでいたのに」

「しかし、あなたはユダに去れとおっしゃった。去って、なすことをなせと言われた。ユダはどうなるのですか」

「私はそう言わなかった。今、お前に踏絵を踏むがいいと言っているようにユダにもなすがいいと言ったのだ。お前の足が痛むようにユダの心も痛んだのだから」

その時彼は踏絵に血と埃《ほこり》とでよごれた足をおろした。五本の足指は愛するものの顔の真上を覆った。この烈しい悦びと感情とをキチジローに説明することはできなかった。

「強い者も弱い者もないのだ。強い者より弱い者が苦しまなかったと誰が断言できよう」司祭は戸口にむかって口早に言った。「この国にはもう、お前の告悔をきくパードレがいないなら、この私が唱えよう。すべての告悔の終りに言う祈りを。……安心して行きなさい」

怒ったキチジローは声をおさえて泣いていたが、やがて体を動かし去っていった。自分は不遜《ふそん》にも今、聖職者しか与えることのできぬ秘蹟《ひせき》をあの男に与えた。聖職者たちはこの冒瀆《ぼうとく》の行為を烈しく責めるだろうが、自分は彼等を裏切ってもあの人を決して裏切ってはいない。今までとはもっと違った形であの人を愛している。私がその愛を知るためには、今日までのすべてが必要だったのだ。私はこの国で今でも最後の切支丹司祭なのだ。そしてあの人は沈黙していたのではなかった。たとえあの人は沈黙していたとしても、私の今日までの人生があの人について語っていた。

切支丹屋敷役人日記

寛文十二年壬子《みづのえね》

このごろ、拾人扶持《ぶち》岡田三右衛門、七人扶持づつ卜意《ぼくい》、寿庵、南甫、二官、閏《うるふ》六月十七日、遠江守《とほたふみのかみ》へ出《いだ》す、

覚《おぼえ》

一、三右衛門女房従弟　深川舟大工　清兵衛　五十
一、同人従弟　土井大炊頭《おほひのかみ》小遣《こづかひ》の者　源右衛門　五十五
一、同人甥《をひ》　清兵衛一所　三之丞
一、同人甥　ゑさし町職人　庄九郎　三十
一、足立権三郎　井上筑後守支配の節、卜意細工の弟子の由、
一、寿庵聟《むこ》　元よし原　紙屋仁兵衛　娘一所にこれあり
一、寿庵娘伯父甚右衛門、河越に罷《まか》りあり候、北条支配の節、参り逢ひ申し候、当子四月廿六

日参り、寿庵逢ひ申し候、

延宝元年癸丑《みづのとうし》

一、十一月九日朝六ツ時、卜意病死、検使御徒目付《おかちめつけ》木村与右衛門、牛田甚五兵衛《じんごべゑ》、御小人目付《おこびとめつけ》両人とも来《きた》る、与力庄左衛門、伝右衛門、惣兵衛《そうべゑ》、源助、立合同心朝倉三郎右衛門、荒川久左衛門、海沼勘右衛門、福田八郎兵衛、一橋又兵衛、無量院へ火葬、戒名、向岸清転禅定門、遠藤彦兵衛、与頭《くみがしら》木高十左衛門、卜意下人徳左衛門、道具改め、踏絵申付け、下宿申付くる、

延宝二年甲寅《きのえとら》

一、正月廿日より二月八日迄《まで》、岡田三右衛門儀、宗門の書物相認《あひしたた》め申し候様《やう》にと遠江守申付けられ候、之《これ》により鵜飼《うがひ》庄左衛門、加用伝右衛門、星野源助、御番引き、右の用懸り申付けられ候、

一、二月十六日、岡田三右衛門書物仕《つかまつ》り候に付き、加用伝右衛門、河原甚五兵衛に申付けられ、両人とも御番引き、三右衛門宅へ廿八日より三月五日迄立合ひ、

一、六月十四日より七月廿四日迄、宗門の書物、岡田三右衛門に山屋敷書院に於て相認めさせ候に付き、加用伝右衛門、河原甚五兵衛、御番引き立合ひ、

一、九月五日、寿庵儀、牢舎仰付《おほせつ》けられ候、我儘《わがまま》申し候に付き、当分の牢舎なり、

申渡しの節立合ひ、六右衛門、庄左衛門、惣兵衛、伝右衛門、源助、河原と亀井、引込月番、塚本六右衛門、加用伝右衛門、

延宝四年丙辰《ひのえたつ》

一、岡田三右衛門召連れ候中間《ちゅうげん》吉次郎へも、違ひ胡乱《うろん》なる儀ども故、牢舎申し候、囲番所にて吉次郎懐中の道具穿鑿《せんさく》仕り候処《ところ》、首に懸け候守り袋の内より、切支丹の尊み申し候本尊みいませ一、出で申し候、サレハウラサンヘイトロ、裏にジャビヱルアン女之有り候、吉次郎牢より呼出《いだ》し、国所《くにどころ》、親類の様子相尋ね候、生国九州五島の者、当辰五拾四歳に罷《まか》り成り申し候、

一、一ッ橋又兵衛儀、吉次郎と常々入魂《じっこん》仕り候へば、宗門の儀も胡乱にて候間《あひだ》、吉次郎申し分仕り候迄、又兵衛も牢に入れ、中略、又兵衛、吉次郎入魂故、何もにも、もし宗門疑はしき事も之有るべきかと存ぜられ候、右の事に候、九郎左衛門、新兵衛儀は、又兵衛と別して入魂に之有る由承り及び候に付き、吟味致され候とき、書院に於て、衣類、上帯、下帯、鼻紙袋等守り迄、残らず相改め申し候、中略、遠江守にも参られ候ひて、書院へ吉次郎御呼出し、切支丹の本尊誰より貰ひ候や、と相尋ねられ候処、三年以前に罷《まか》りあり候御中間《ごちゅうげん》才三郎持ち申し候、ここへ罷り出で候とき、落し罷り出で候に付き、私拾ひ置き申し候、此《こ》の儀は門番人徳右衛門も存知罷りあり候、と申し候に付き、すなはち徳右衛門呼出し相尋ねられ候へば、夏虫干しのとき見申し候段、申し候、岡田三右衛門へは貰ひ申さずや、と相尋ねられ候所、吉次郎申し候は、三右衛門に貰ひ申す隙御座《ひまござ》なく候、その子細は、三右衛門方へ参り候みぎ

り、当番の同心衆両人づつ付添ひ申され候に付き、透《すき》これなき由、申し候、

一、九月十七日、山屋敷へ御頭《おかしら》遠江守御出で、書院において三人の中間共御呼出し、もし切支丹にては之なきや、と穿鑿致され候、その後、吉次郎、徳右衛門両人を御呼出し、穿鑿致され候、かつ又、同心中、家内諸道具残らず相改め候様に、尤《もつと》も組屋敷三ケ所、木戸番の内をも相改め申すべきの旨、申付けらる、尤も女房子も奉行の前にて上帯下帯解きふるはせ、勿論《もちろん》持仏迄相改め申し候、はた又、杉山七郎兵衛家内を相改め候処に、反古《ほご》の内に切支丹の書付け、木暮《こぐれ》十左衛門見出し申し候、すなはち加用伝右衛門請取り、用人へ相渡す、ばてれんあるせすほひすほ　はつは、

一、同十八日、山屋敷へ御頭遠江守御出で、書院に於て、中間三人の口を御聞き、一橋又兵衛御呼出し穿鑿致され、次に吉次郎、徳右衛門穿鑿致され、其の後、岡田三右衛門女房ならびに下女、小者御呼出し穿鑿を遂げられ、三右衛門も御呼出し、吉次郎を勧め申さず候やと相尋ねられ候処、少しも勧め候儀之なき由申し候に付き、勧め申さざる由の手形を申付け候、其の後、杉山七郎兵衛御呼出し、昨日尋ね出し候切支丹の名書付け候儀、何と存じ候ひて所持仕り候やの旨、相尋ね候処、七郎兵衛申し候は、先年北条安房守《あはのかみ》殿御支配の節、家老衆申され候は、その役儀にて候間、覚え候ひて然るべき旨申され候故、与力服部《はつとり》左兵衛に書付け承り置き候旨、申し訳立ち、罷り帰り候、

一、館林《たてばやし》宰相様御家来笠原郷右衛門家来中間太兵衛、斎藤頼母《たのも》組同心荷物持ち新兵衛、右両人御呼び寄せ、吉次郎に引合せ、ひろひ候仏穿鑿致され候所、新兵衛ひろひ候に紛れ御座な

く候、新兵衛所持候を、右太兵衛も見申し候由申し候に付き、太兵衛、新兵衛両人共御返し候、

一、右同日、一橋又兵衛儀、牢内にて釣《つる》し申し候、奉行久木源右衛門、奥田徳兵衛、川瀬惣兵衛、河原甚五兵衛也、又兵衛事、此以後、数度の拷問に逢ひ申し候、

一、同十九日、山屋敷へ御頭遠江守御出で、左の通り書付け相渡され候、

一、十月十八日、晴天、御頭山屋敷へ御出で、ならびに御徒目付佐山庄左衛門、種草太郎右衛門へ参り、一橋又兵衛ならびに女房、木馬へ乗せ拷問之有り、内藤新兵衛儀も書院へ呼出され穿鑿致され候、松井九郎右衛門穿鑿致され候処、あらまし白状仕り候、

一、十一月廿四日、切支丹訴人《そにん》の誓札《せいさつ》、山屋敷表門へ打たせ置き申し候、河原甚五兵衛、鵜飼源五右衛門、山田十郎兵衛、立合ひ申し候、右の誓札、両御頭より申付けられ候、文言、左に之を記す、

定

きりしたん宗門は、累年御制禁たり、自然と不審なる者之あらば申出づべし、御褒美《ほうび》として、

ばてれんの訴人　銀三百枚
いるまんの訴人　銀二百枚
立ち返り者の訴人　同断
同宿ならびに宗門の訴人　銀百枚

右の通り、之を下さるべし、たとひ同宿宗門の内たりといふとも、訴人に出づる品により、銀三百枚之を下さるべし、隠置《かくしお》き、他所よりあらはるるにおいては、其の所の名主、五人組迄、一類共に厳科に処せらるべきもの也、よって下知《げぢ》件《くだん》の如し、

一、十二月十日、寿庵儀、入牢申付けられ候、両御頭より、用人高橋直右衛門、服部金右衛門参り、尤《もつと》も双方与力立合ひ、左の通り寿庵へ用人高橋直右衛門申渡す、

寿庵儀、日ごろ我儘《わがまま》仕り、今度加用源左衛門へ不届の仕方致し候段、重畳《ちようでふ》不届者に思召《おぼしめ》され候間、つめ牢に仰付《おほせつ》けられ候間、左様に相心得《あひこころえ》申すべく候、寿庵申し候は、日ごろの望みに御座候へば、忝《かたじけな》く存じ候由申し候に付き、則《すなは》ち牢前へ遣《つかは》し候処に、さいふ一つ取出《とりいだ》し候ひて、是を御役人衆《しゆ》へ相渡し申し候由にて、番所へ差出し置き候処、即刻入牢仕り候、右のさいふ、御頭の用人、与力立合ひ相改め候処、金子小粒にて拾七両壱分之有り候、その外寿庵諸道具相改め、帳面に記し、与力ども合封印仕り、寿庵長屋へ入れ置き候、

一、寿庵所持の内、ちりちよ一つ、りしひりな二つ、こんたす二連、星の図一幅之有り、

延宝九年辛酉《かのととり》

一、七月廿五日、申《さる》の下刻、岡田三右衛門儀、病死致し候、右の段、御頭へ届けに、鵜飼源五右衛門ならびに成瀬次郎左衛門召連れ罷り出で候、即刻御頭より用人高原関之丞《じよう》、江曲十郎右衛門参る、右三右衛門死骸、同心三人づつ付け置き申し候、

一、岡田三右衛門所持の金子、小粒にて拾三両三分、小判拾五両、都合弐拾八両三分之有り、其の外諸道具は、仲間御頭用人共の封印致し置き候、御土蔵へ廿八日に入れ置く、

一、同廿六日、山屋敷へ検使に御徒目付大村与右衛門、村山覚太夫ならびに御小人目付下山惣八郎、野村利兵衛、内田勘十郎、古川久左衛門、都合六人参る、御頭用人仲間立合ひ、左の通り口書《くちがき》、御徒目付へ渡す、

口上の覚《おぼえ》

切支丹屋敷に罷りあり候伴天連《ばてれん》岡田三右衛門儀、南蛮ほるとがるの者、三拾余年以前未《ひつじ》年、井上筑後守へ始めて御預け、囲屋敷に当酉年まで三拾年罷りあり候処、当月初めより不食致し相煩《わづら》ひ候に付き、牢医石尾道的、薬用ひ申し候へども、段々気色《けしき》さし重り、昨廿五日昼七つ半時過ぎ、相果て申し候、右三右衛門、六拾四歳に罷りなり候、此の外、相替る儀御座なく候、以上、

七月廿六日

林信濃守組
奥田次郎右衛門
鵜飼源五右衛門
河原　甚五兵衛
川瀬　惣兵衛

加用伝右衛門

右検使相済み、三右衛門死骸、小石川無量院へ葬る、無量院より玄秀と申す出家参る、三右衛門死骸、乗物にて遣《つかは》し候、尤も火葬に仕り候、三右衛門戒名、入専浄真信士、弔料《とむらひ》、金壱両弐分、火葬料金百疋《びき》さし遣し候、弔ひの具入り用ども、三右衛門所持の金子にて相払ひ候、

解　説

佐伯彰一

遠藤周作は、わが国で類の少ない、ドラマチックな小説家である。『海と毒薬』、『沈黙』、『侍』など、いずれを取っても、ドラマチックな緊迫と力感があふれている。

まず、不気味な緊張をはらんだ状況があり、あれかこれかの選択をするどく突きつけられる作中人物がいる。そして、次第にドラマチックな対立、葛藤《かっとう》がもり上ってゆき、一気にカタストローフへとのめりこむ。アリストテレス流の悲劇の伝統的な定義が、そっくりそのまま当てはまりそうなほどに、ドラマチックな骨骼《こっかく》が、どの作品にも透けて見える。『沈黙』は、中でも、いかにもドラマチックな小説で、読みかえしてみるたびに、ぐいぐいとドラマの渦巻のなかに誘いこまれてゆく気がする。

もっとも、ここにおけるドラマの仕組みは、むしろ簡明率直なものだ。切支丹禁制のあくまできびしい鎖国日本に、三人のポルトガルの若い司祭が、潜入をくわだてる。島原の乱が鎮圧されてから間もない頃のことで、一きわ取締りの目もきびしく、何とか無事上陸を果し、日本人信徒との連絡もつけたものの、もちろん、間もなく捕われて、苛酷な拷問を加えられ、ついに背教の止《や》むなきにいたる。そもそもの当初から、失敗、敗北はほぼ明白な、いわば絶望的な挑戦のくわだてであり、果して事態は予測された通りに進行する。思いもうけぬ不意打ちは、まったく起らないというに近いのだから、ドラマとしては、わき道なしの直線的展開が一きわ目立つ。

これほど一本道の、見通しのよすぎるほどの筋立てで、われわれ読者を一気に作中に誘いこむとはと、改めて小説家遠藤の力量のほどに感心させられるのだが、この際、導入部における作者の語りの工夫に眼をむける必要があるだろう。

まず「ローマ教会に一つの報告がもたらされた」と書き出された「まえがき」が、歴史書かノンフィクションのようなスタイルで、客観的かつ簡潔に、事態を伝えてくれる。ポルトガルのイエズス会から以前日本に派遣され、その「稀《まれ》にみる神学的才能」と「不屈の信念」の強さで、かねて信頼厚かったフェレイラ・クリストヴァン教父が、ついに拷問に屈して、棄教したという。このニュースの生み出した大きな衝撃が告げられ、ローマから四人の司祭、またポルトガルからも三人の司祭が、こうした衝撃をのりこえ、打ちかとうとするように、日本渡航を決意した。ポルトガルの三人にとっては、フェレイラは、かつての恩師でもあったのだ。

この「まえがき」は、戯曲における舞台の説明にも似ているが、乾いた、飾り気のない語調で、後につづく物語の時代背景、歴史状況を手際よくのみこませてくれる。事実『沈黙』は、一種の歴史小説でもあって、扱われている事件や人物の大方は、史実にもとづいている。日本潜入を敢行した三人の司祭にも、はっきり「モデル」のあることは、遠藤自身が、単行本の「あとがき」でふれている。『沈黙』の主人公であるロドリゴ改め岡田三右衛門は、じつはジュゼッペ・キャラ改め岡本三右衛門であったといった具合で、もちろん小説的な変改が加えられている。イタリーのシシリヤ生れというキャラを、セバスチァン・ロドリゴと変えたのは、フェレイラと同じポルトガル出身として両者のつながりを強め、後の獄中での出会いを、一層ドラマチックなものにしようという用意であろうか。歴史上の三人の司祭は、拷問にかけられて、三人ともひとしく棄教した由であるが、『沈黙』の作者が、この点を作り変えているのも、ロドリゴの棄教に焦点をしぼって、彼の内心のドラマを浮きぼりにしようというねらいに違いない。ただ、三人と澳門《マカオ》で会い、日本の事情について説ききかしてくれた「巡察師ヴァリニャーノ神父」を歴史上の人物とすると、一六〇六年の始めに澳門で没したはずだから、勘定が合わない。彼自身、三度まで日本の土をふみ、信長と親しく交わり、史上名高いあの「天正遣欧使節」の同伴者ともなったこの人物は、かつての日本における切支丹隆盛期の象徴として、あえて作中に取りこむことにしたのだろうか——ロドリゴたちの日本潜入の暗さと絶望性を、対照的に浮び上らせるために。

さて、「まえがき」の後には、「セバスチァン・ロドリゴの書簡」四通がつづいて、読者をじかに主人公の内側に誘いこむ役割を果している。これが、小説の前半、四章をなし、あと、三人称描写の七章が来るという構成であるから、「まえがき」をもふくめて、全体が、語りの上からは、三部仕立てとなっている。まず純客観の視点とそれから純主観、ついで半客観、半主観とでもいうのか、いく分の距離は保ちつつ、主人公に即して、たどり、描いてゆく。この三段構成は、読者を無理なく作中のドラマに導き入れる上で、見事な効果をあげているのではあるまいか。まず、舞台、背景を離れて大きく眺めた上で、いきなり主人公の内面につれこまれ、やがて、主人公からいくらか身を引き離しながらも、すぐ間近で棄教に立ちいたる劇的破局のプロセスを、一歩一歩見守ることになる。

かりに、終始一貫、純客観体で押し通したとしたら、そもそも主人公の企図の向うみずな絶望性と、日本の当局側のやみくもな禁圧政策、あまりに頑《かたく》なで非人道的な拷問の手口ばかりが、読者の前面に大きく立ちはだかる羽目になったろうし、また他方、冒頭からひたすら主人公の手紙や独白だけで押し通そうとした場合は、主人公の投げこまれた状況が、あまりに特異かつ極限的であるので、読者としては少々息苦しすぎ、ついてゆくのが困難になったのではあるまいか。その意味で、距離と密着とを組み合せつつ展開してゆくという遠藤流戦略は、『沈黙』の成功を確保する上で、大きな役割を果したように思われる。

それにしても、『沈黙』の主人公は、まったくの異国人であり、布教、伝道の熱情はともかく、ふと外からまぎれこんできた異邦人の眼と意識を中心として長篇小説を書き上げるというのは、かなり危険な文学的冒険であり、賭けに違いなかった。なるほど、ザヴィエル、ヴァリニャーノ、フロイスなど、当時の西欧からの伝道者たちは、じつに筆まめで、また綿密な観察者、表現力優秀な報告者であったから、これらの残された歴史上の記録を広く調べ、親しむことによって、彼らの内面に近づき、これを小説的に再構成してみる道はたしかに開かれていよう。しかし、長篇小説のヒーローとして外国人をえらび取るというのは、やはり一種の文学的離れ業というほかない。ロマンチックな美化、もしくはグロテスクな諷刺《ふうし》をくわだてる場合は別として、『沈黙』の場合のようにアクションのきわめて少ない、純粋にいわば信仰の論理と心理に限定された微妙な動きを跡づけようとする場合、相手が外国人とあっては、いかにも書きづらいに違いない。しかし、遠藤周作は、あえてこの難業にいどみ、物の見事にやりとげたのである。一体、何が遠藤を駆り立て、またこの大きな壁を乗りこえることを可能にしたのか。この際、いくつかの要素を指摘することが出来そうだ。一つは、信仰を同じくするものの自信。キリスト教、とりわけカトリックの「普遍性」についての確信が、遠藤を根底で支えていたと言い切っていいだろう。二番目に、状況の極限性が、逆にかえって、作者の側での共感と追体験を可能にしてくれたのではないか、といいたい。これは一見逆説めくけれど、たとえば『沈黙』とほぼ同じ頃、アメリカの南部出身の白人作家W・スタイロンが書き上げて、ひろく話題をよんだ『ナット・ターナーの告白』（一九六七）の場合を考え合せて頂きたい。これは、いち早い黒人反乱という現実の事件を扱った一種の歴史小説という点でも『沈黙』と一脈通じているが、白人のスタイロンがその際敢えて、黒人主人公の内側に身をおき、終始一貫、この主人公の内的独白体で押し通して見せた所が、かくべつ注目を集めた。とくに黒人側の評者が、この点につよいこだわりを示したのが印象に残っているけれど、第三者としてみれば、まさにこの点、白人のスタイロンが、黒人主人公の眼と心とを通して語り、描いて見せたという点に、この長篇の強烈な劇的迫力の源が存したことは疑いなかった。作者が、全力を傾けて、大きな壁に挑みかけたという迫力がみなぎっていたばかりか、望みなき反乱における指導者の緊張と苦悶《くもん》という極限状況が、かえって人種の壁をこえた「普遍性」を生み出していると感ぜざるを得なかった。ほぼ同じ事情が、わが遠藤の『沈黙』の場合にも、当てはまるのではあるまいか。

　しかし、一層切実かつ重大なのは、おそらく次の第三の要素、追いつめられた主人公のうちに生じた信仰上の悩み、懐疑を、どうやら作者自身も底深く共有しているということであろう。信者たちの上に次々とふりかかる迫害、拷問、相つぐ信者たちの犠牲、文字通り人間の気力、体力の限界をこえた苦難にもかかわらず、ついに神の「救い」は、あらわれない。主人公の必死の祈りにもかかわらず、神は頑なに「沈黙」を守ったままである。果して信者の祈りは、神にとどいているのか、いやそもそも神は、本当に存在するのか、と。

これは、キリスト教徒にとっては、怖ろしい根源的な問いであり、ぼくら異教徒の胸にも素直にひびいてくる悩みであろう。このモチーフを追いつめてゆく作者の筆致は、緊張がみなぎり、迫力にあふれていて、ドラマチックな場面の豊富なこの長篇の中でも、文字通りの劇的頂点をなしている。獄中のロドリゴの耳に、番人の「鼾《いびき》」らしい物音が、執拗《しつよう》にまつわりつく。「あの高く低く唸《うな》っている愚鈍な鼾」、「俗悪な不協和音」と、主人公はやり切れぬ腹立たしさを抑えがたいのだが、その直後にフェレイラから、じつは「穴吊りにかけられた信者たちの呻《うめ》いている声」だと知らされる。この場面の衝撃的な効果は、素晴らしい。「鼾」という、グロテスクで滑稽な、人間のうちなる動物性の露呈ともいえる生理現象の、一瞬の聖なるものへの変容。そして、ロドリゴの棄教の決心、「踏絵」の場面がすぐつづいて描きこまれる。

神は果して存在するのかという怖ろしい問いに答えがあたえられた訳ではなかった。しかし、ロドリゴの背教が、じつは神への裏切りではなく、キリストは棄教者の足で踏まれつつ、これを赦していたという信仰の畏《おそ》るべき逆説は、ぼくなど不信の徒の心にも沁《し》みいらずにおかない。

『沈黙』は、カトリック教徒のけわしい信仰の隘路《あいろ》をたどり、描きながら、じつは、超カトリック、普遍的な宗教小説たり得ているのではないだろうか。日本人のユダともいうべき卑屈な裏切者のキチジロー、またかつての信徒で、今はキリスト教徒弾圧に、無類の狡智《こうち》を発揮する井上筑後守の描き方など、不信者の読者としては、いささか留保をつけたい箇所も残りはするものの、『沈黙』全体のドラマチックな迫力には、気押されて、その畏るべき結末へとじりじりと運び去られてゆく他ないのである。

（昭和五十六年九月）

この作品は昭和四十一年三月新潮社より刊行された。

文字づかいについて

新潮文庫の日本文学の文字表記については、なるべく原文を尊重するという見地に立ち、次のように方針を定めた。

一、口語文の作品は、旧仮名づかいで書かれているものは現代仮名づかいに改める。

二、文語文の作品は旧仮名づかいのままとする。

三、一般には当用漢字以外の漢字も使用し、音訓表以外の音訓も使用する。

四、難読と思われる漢字には振仮名をつける。

五、送り仮名はなるべく原文を重んじて、みだりに送らない。

六、極端な宛て字と思われるもの及び代名詞、副詞、接続詞等のうち、仮名にしても原文を損うおそれが少ないと思われるものを仮名に改める。

遠藤周作著　白い人・黄色い人
芥川賞受賞

ナチ拷問に焦点をあて、存在の根源に神を求める意志の必然性を探る「白い人」、神をもたない日本人の精神的悲惨を追う「黄色い人」。

遠藤周作著　海と毒薬
毎日出版文化賞・新潮社文学賞受賞

何が彼らをこのような残虐行為に駆りたてたのか？　終戦時の大学病院の生体解剖事件を小説化し、日本人の罪悪感を追求した問題作。

遠藤周作著　留学

時代を異にして留学した三人の学生が、ヨーロッパ文明の壁に挑みながらも精神的風土の絶対的相違によって挫折してゆく姿を描く。

遠藤周作著　月光のドミナ

人間の心にひそむ暗い衝動や恐怖を誠実な筆致で描く初期短編集。表題作ほか「イヤな奴」「あまりに碧い空」「地なり」など10編。

遠藤周作著　大変だァ

闇鍋会に放射線を浴びた鶏が供された。男は女に、女は男に……時ならぬ性転換の悲喜劇からくりひろげられる騒動！　ユーモア長編。

遠藤周作著　影法師

神の教えに背いて結婚し、教会を去っていくカトリック神父の孤独と寂寥——名作『沈黙』以来のテーマを深化させた表題作等11編。

遠藤周作著　母なるもの

やさしく許す〝母なるもの〟を宗教の中に求める日本人の精神の志向と、作者自身の母性への憧憬とを重ねあわせてつづった作品集。

遠藤周作著　ファーストレディ（上・下）

代議士とその妻。弁護士と女医の夫婦。二組の夫婦の人生を軸に、戦後日本の四十年を描いた社会派エンターテインメント。

遠藤周作著　彼の生きかた

吃るため人とうまく接することが出来ず、人間よりも動物を愛し、日本猿の餌づけに一身を捧げる男の純朴でひたむきな生き方を描く。

遠藤周作著　ボクは好奇心のかたまり

美人女優に面談を強要する、幽霊屋敷の探険に行く、素人劇団を作る、催眠術を見物に行く。物好き精神を発揮して狐狸庵先生東奔西走。

遠藤周作著　砂の城

過激派集団に入った西も、詐欺漢に身を捧げたトシも真実を求めて生きようとしたのだ。ひたむきに生きた若者たちの青春群像を描く。

遠藤周作著　悲しみの歌

戦犯の過去を持つ開業医、無類のお人好しの外人……大都会新宿で輪舞のようにからみ合う人々を通し人間の弱さと悲しみを見つめる。

遠藤周作著
イエスの生涯
国際ダグ・ハマーショルド賞受賞
青年大工イエスはなぜ十字架上で殺されなければならなかったのか――。あらゆる「イエス伝」をふまえて、その〈生〉の真実を刻む。

遠藤周作著
キリストの誕生
読売文学賞受賞
十字架上で無力に死んだイエスは死後〝救い主〟と呼ばれ始める……。残された人々の心の痕跡を探り、人間の魂の深奥のドラマを描く。

遠藤周作著
死海のほとり
信仰につまずき、キリストを棄てようとした男――彼は真実のイエスを求め、死海のほとりにその足跡を追う。愛と信仰の原点を探る。

遠藤周作著
王国への道
―山田長政―
シャム（タイ）の古都で暗躍した山田長政と、切支丹の冒険家・ペドロ岐部――二人の生き方を通して、日本人とは何かを探る長編。

遠藤周作著
真昼の悪魔
悪には悪の美と楽しみがある――大学病院を舞台に、つぎつぎと異常な行動に走る美貌の女医の神秘をさぐる推理長編小説。

遠藤周作著
王妃　マリー・アントワネット
（全二冊）
苛酷な運命の中で、愛と優雅さを失うまいとする悲劇の王妃。激動のフランス革命を背景に、多彩な人物が織りなす華麗な歴史ロマン。

遠藤周作著

女の一生
一部・キクの場合

幕末から明治の長崎を舞台に、切支丹大弾圧にも屈しない信者たちと、流刑の若者に想いを寄せるキクの短くも清らかな一生を描く。

遠藤周作著

女の一生
二部・サチ子の場合

第二次大戦下の長崎、戦争の嵐は教会の幼友達サチ子と修平の愛を引き裂いていく。修平は特攻出撃。長崎は原爆にみまわれる……。

遠藤周作著

侍
野間文芸賞受賞

藩主の命を受け、海を渡った遣欧使節「侍」。政治の渦に巻きこまれ、歴史の闇に消えていった男の生を通して人生と信仰の意味を問う。

遠藤周作著

冬の優しさ

留学した青年時代から今日までの〝私の歳月〟と〝人生の出会い〟をふり返りつつ、人間と愛と生と死を優しく綴った愛のエッセイ集。

遠藤周作著

十一の色硝子

歳月、老い、人生……深々と心に刻まれる生の断片。生きることの重みを、人生のうしろ姿を、しみじみと心にしみこませる11編。

遠藤周作
佐藤泰正著

人生の同伴者

佐藤の真摯な問いに答え、遠藤周作が、心に刻まれた記憶や体験あるいは主要な自作を通して、文学、思想、信仰、生活のすべてを語る。

遠藤周作著　スキャンダル

数々の賞を受賞したキリスト教作家の醜聞《スキャンダル》！　繁華街の覗き部屋、ＳＭクラブに出没するもう一人の〈自分〉の正体は？　衝撃の長編。

遠藤周作著　王の挽歌（上・下）

戦さと領国経営だけが人生なのか？　戦国の世に、もう一つの心の王国を求めた九州豊後の王・大友宗麟。切支丹大名を描く歴史長編。

立原正秋著　冬のかたみに

父の自裁を、母の離反を、彼は超えられただろうか？　日韓混血の宿命を負い、厳しく自己を律した青年時代――感動の自伝的長編。

立原正秋著　帰路

女と二人、ヨーロッパを旅する男に次第に視えてくる〈日本〉。西洋と日本を対比させ、日本人の帰るべき場所を問う、著者最後の長編。

立原正秋著　冬の旅

少年院に孤独な青春を送る行助――社会復帰を願う非行少年たちの温かい友情と苛烈な自己格闘を描き、〈非行〉とは何かを問う力作。

立原正秋著　舞いの家

能楽室町流の宗家に生れた美しい三人姉妹の愛の変転。〃舞いの家〃の亡びを、舞台の神秘、愛欲の深みのなかにとらえた長編ロマン。

倉橋由美子著

ヴァージニア

ボーイフレンドに肉体を与え続ける女子学生ヴァージニアの奇妙な孤独――荒涼たる死と性の深淵、超現実的な愛と夢想の世界を描く。

倉橋由美子著

パルタイ

女流文学者賞受賞

〈革命党〉への入党をめぐる女子学生の不可解な心理を描く表題作など、著者の新しい文学的世界の出発を告げた記念すべき作品集。

倉橋由美子著

聖少女

自動車事故で記憶喪失におちいった未紀の過去――「パパ」を異性として恋した少女の、崇高なまでに妖しい、禁じられた愛の陶酔。

倉橋由美子著

倉橋由美子の怪奇掌篇

突発性溶肉症にかかりガイコツになった少年の「事故」など、幻想・残酷・邪心・淫猥な世界を独特な文体でえぐりだす怪奇短編20編。

福永武彦著

廃市・飛ぶ男

誇り高い姉と快活な妹。今、二人の前に横たわる青年の棺。美しい姉妹に愛されながら彼はなぜ死んだのか。抒情溢れる「廃市」等8編。

福永武彦著

愛の試み

人間の孤独と愛についての著者の深い思索の跡を綴るエッセイ。愛の諸相を分析し、愛の問題に直面する人々に示唆と力を与える名著。

安部公房著　**他人の顔**

ケロイド瘢痕を隠し、妻の愛を取り戻すために他人の顔をプラスチックの仮面に仕立てた男。——人間存在の不安を追究した異色長編。

安部公房著　**壁**
戦後文学賞・芥川賞受賞

突然、自分の名前を紛失した男。以来彼は他人との接触に支障を来し、人形やラクダに奇妙な友情を抱く。独特の寓意にみちた野心作。

安部公房著　**終りし道の標べに**

徴兵を拒否し、故国日本を捨て、満洲の地を一人、自己の占有をめざして歩きつづける男。——人間存在の条件を問う著者の処女長編。

安部公房著　**人間そっくり**

《こんにちは火星人》というラジオ番組の脚本家のところへあらわれた自称・火星人——彼はいったい何者か？　異色のＳＦ長編小説。

安部公房著　**夢の逃亡**

〈名前の喪失〉というモチーフによって、新しい現代の寓話を生み出した表題作など、安部文学誕生の秘密を解き明かす、初期作品集。

安部公房著　**砂の女**
読売文学賞受賞

砂穴の底に埋もれていく一軒屋に故なく閉じ込められ、あらゆる方法で脱出を試みる男を描き、世界20数カ国語に翻訳紹介された名作。

大江健三郎著
遅れてきた青年

地方の山村に生れ育ち、陛下の勇敢な兵士として死ぬはずの戦争に、遅れてしまった青年。戦後世代共通の体験を描いた半自伝的小説。

大江健三郎著
日常生活の冒険

ナセル義勇軍参加を望んで果せず、限りない倦怠に陥った主人公――冒険の可能性なき現代を冒険的に生きようとした青年の行為と死。

大江健三郎著
空の怪物アグイー

六〇年安保以後の不安な状況を背景に〝現代の恐怖と狂気〟を描く表題作ほか「不満足」「スパルタ教育」「敬老週間」「犬の世界」など。

大江健三郎著
見るまえに跳べ

処女作「奇妙な仕事」から3年後の「下降生活者」まで、時代の旗手としての名声と悪評の中で、充実した歩みを始めた時期の秀作10編。

大江健三郎著
われらの狂気を生き延びる道を教えよ

おそいくる時代の狂気と、自分の内部からあらわれてくる狂気にとらわれながら、核時代を生き延びる人間の絶望感と解放の道を描く。

大江健三郎著
個人的な体験
新潮社文学賞受賞

奇形に生れたわが子の死を願う青年の魂の遍歴と、絶望と背徳の日々。狂気の淵に瀕した現代人に再生の希望はあるのか？　力作長編。

開高健著
パニック・裸の王様
芥川賞受賞
大発生したネズミの大群に翻弄される人間社会の恐慌「パニック」、現代社会で圧殺されかかっている生命の救出を描く「裸の王様」等。

開高健著
開口閉口
食物、政治、文学、釣り、酒、人生、読書……豊かな想像力を駆使し、時には辛辣な諷刺をまじえ、名文で読者を魅了する64のエッセー。

開高健著
地球はグラスのふちを回る
酒・食・釣・旅。――無類に豊饒で、限りなく奥深い〈快楽〉の世界。長年にわたる飽くなき探求から生まれた極上のエッセイ29編。

北杜夫著
白きたおやかな峰
ヒマラヤ山脈の処女峰ディランに挑む日本の遠征隊にドクターとして参加した著者が、大自然の魅惑と愛すべき山男たちの素顔を描く。

北杜夫著
神々の消えた土地
太平洋戦争末期、死と隣り合せの日々のなか、少年は早熟で愛らしい少女と出会う。信州の自然を背景に描く清純で神話的な愛の牧歌。

北杜夫著
母の影
歌人・斎藤茂吉の妻にして、北杜夫の母・斎藤輝子。自分流の生き方を貫き、世に〝痛快婆さま〟と呼ばれた母を追憶する自伝的小説。

有吉佐和子著

紀ノ川

小さな流れを呑みこんで大きな川となる紀ノ川に託して、明治・大正・昭和の三代にわたる女の系譜を、和歌山の素封家を舞台に辿る。

有吉佐和子著

私は忘れない

スターの座を夢みながら果たせない門万里子が、南の離島〝黒島〟で見たのは、厳しい自然との闘いに生きる人々の素朴な姿。長編小説。

有吉佐和子著

華岡青洲の妻

女流文学賞受賞

世界最初の麻酔による外科手術——人体実験に進んで身を捧げる嫁姑のすさまじい愛の葛藤……江戸時代の世界的外科医の生涯を描く。

吉行淳之介著

砂の上の植物群

常識を越えることによって獲得される人間の性の充足！　性全体の様態を豊かに描いて、現代人の孤独感と、生命の充実感をさぐる。

吉行淳之介著

娼婦の部屋・不意の出来事

新潮社文学賞受賞

娼婦の運命の変遷と、〝私〟の境遇の変化を照応させつつ描いて代表作とされる「娼婦の部屋」。他に洗練された筆致の多彩な作品集。

吉行淳之介著

原色の街・驟雨

芥川賞受賞

心の底まで娼婦になりきれない娼婦と、良家に育ちながら娼婦的な女——女の肉体と精神をみごとに捉えた「原色の街」等初期作品5編。

新潮文庫最新刊

堺屋太一著　**俯き加減の男の肖像**

元禄バブル崩壊後の宝永年間。「下り坂の時代」に一大事業を成し遂げようと悪戦苦闘した男の姿を通し、現代を照らす歴史経済小説。

日本経済新聞社編　**いやでもわかる経営**

国際化、新製品開発、終身雇用、資金調達……。現代企業が避けて通れない重要テーマをドラマの形でやさしく解説。好評のシリーズ。

ビートたけし著　**たけしの20世紀日本史**

口に出せないことばかり。タブーまみれの現代史。おいらの集中講義を聞いてくれ。この百年の日本を再講釈する、たけし版日本史！

阿刀田高著　**日曜日の読書**

当代随一の本読み上手が、〝小説など読んでるヒマはない〟人たちに贈る、小説の楽しみ方指南書。大江健三郎から、吉本ばななまで。

浅井信雄著　**アメリカ50州を読む地図**

多種多様な姿を持つ米国各50州とワシントンDCの素顔を、地図とコラムで分かりやすく記述。「合衆国」解読に欠かせない一冊。

松井茂著　**世界紛争地図**

朝鮮半島の核疑惑・米中対立・イラク情勢など、世界中で燻り続ける地域紛争に注目し、その裏にひそむ各国の思惑を徹底分析。

新潮文庫最新刊

夏坂健著　**地球ゴルフ倶楽部**

発光ボールの発明秘話、ゴルフ場に現れる亡霊の謎、ゴルフに熱中し過ぎた将軍の話など古今東西のゴルフ狂たちの爆笑譚満載。

赤川次郎著　**子子家庭は大当り！**

両親が同時に家出をして「子子家庭」となった坂部家の最大の問題は……とにかくお金がない！　大好評のライト・コメディ第2弾。

群ようこほか著　群ようこ対談集　**解体新書《たあへるあなとみあ》**

ようこそ「ようこの部屋」へ。恋愛談義に貧乏話、給食の思い出から怖いもの自慢まで。十人のゲストが織りなす爆笑世紀末対談集。

酒見賢一著　**陋巷に在り3**　―媚の巻―

恐るべき性魔術・媚術を駆使する謎の美女、子蓉。顔回さえもその掌中に落ちてしまうのか？　二人の対決を描く白熱の第三巻。

井上ひさし著　**黙阿彌オペラ**

江戸から明治へ――。文明開化の荒波に翻弄されながらも、力強く生きる黙阿彌と仲間たちの「明治維新」。可笑しくも哀しい評伝劇。

星新一著　**明治の人物誌**

野口英世、伊藤博文、エジソン、後藤新平等、父・星一と親交のあった明治の人物たちの航跡を辿り、父の生涯を描きだす異色の伝記。

新潮文庫最新刊

満足の文化
ガルブレイス
中村達也訳
金融システムの破綻、官僚制度の腐敗……。全ては「満足の文化」の下で進行した。豊かな時代の〈危機〉が先進資本主義諸国を蝕む。

殺人カップル
J・パタースン
小林宏明訳
ジャック&ジル――有名人連続殺人事件現場に残された謎の署名とは？ 同時に多発する小学生殺人事件。クロス刑事シリーズ第三弾。

暗黒の河
J・グレイディ
池央耿訳
元CIAのジャドは、今はアル中の錠前屋。その彼が何者かに狙われた。国際的謀略工作に暗躍したトップ・スパイの運命を描く力作。

原告側弁護人（上・下）映画公開
J・グリシャム
白石朗訳
新米弁護士の初仕事は、悪徳保険会社を相手におこした訴訟だった。弁護士資格を取得してわずか三カ月の若者に勝ち目はあるのか？

アイス・ストーム 映画公開
R・ムーディ
南條竹則
坂本あおい訳
'73年、アメリカの二家族を嵐のような出来事が襲う。70年代のアメリカ文化を織りまぜて〈郊外の家族〉の悲喜劇を描いた著者の代表作。

あきらめきれなくて
S・ブラウン
吉澤康子訳
フリーのパイロットと、その兄の死の原因を作った女医。反発しあう二人が密入国先で知ったこととは……。ラヴ・サスペンスの快作。

沈《ちん》黙《もく》

新潮文庫　え－1－15

昭和五十六年十月十五日　発行
平成　十　年五月十五日　三十刷

著者　遠《えん》藤《どう》周《しゅう》作《さく》

発行者　佐藤隆信

発行所　株式会社　新潮社

郵便番号　一六二－八七一一
東京都新宿区矢来町七一
電話　編集部(〇三)三二六六－五四四〇
　　　読者係(〇三)三二六六－五一一一
振替　〇〇一四〇－五－八〇八

価格はカバーに表示してあります。

乱丁・落丁本は、ご面倒ですが小社読者係宛ご送付ください。送料小社負担にてお取替えいたします。

印刷・株式会社金羊社　製本・憲専堂製本株式会社
© Junko Endô 1966　Printed in Japan

ISBN4-10-112315-2 C0193